우디 선도입문

________________________님에게

항상 몸과 마음이 건강하기를 바라는

김석우 드림

우디 선도입문

발 행 | 2024년 7월 9일
저 자 | 김석우
펴낸이 | 한건희
펴낸곳 | 주식회사 부크크
출판사등록 | 2014.07.15(제2014-16호)
주 소 | 서울특별시 금천구 가산디지털1로 119 SK트윈타워 A동 305호
전 화 | 1670-8316
이메일 | info@bookk.co.kr

ISBN | 979-11-410-9402-7

www.bookk.co.kr

우디 선도입문

김석우 지음

목차

들어가는 글

도서관 글쓰기 교실에 다니면서 안 되는 글을 매주 한편씩 에세이로 쓰다 보니 머리가 복잡해졌습니다. 나올 이야기는 없는데 머리를 쥐어짜니 몸이 근질근질해졌습니다. 그래서 머리가 쉴 수 있는, 몸 쓰는 활동이 필요하다고 생각했습니다.

증포동 주민자치학습센터의 여러 가지 학습프로그램 중에서 국선도를 선택해서 해보기로 하였습니다. 단전호흡은 들어 보았지만, 지금까지 국선도는 처음 들어보는 단어이고 한번도 해 본적 없는 신비한 세계였습니다.

세상에 머리 안 쓰는 운동은 없습니다. 걷기만 해도 머리를 많이 씁니다. 그래서 운동도 할 겸 더불어 운동에 따른 변화도 기록할 겸해서 국선도 에세이를 쓰기 시작했습니다. 어떻게 시작해야 될지도 모르고 어떻게 마무리가 될지 예상하지도 못했습니다.

그런데 생각보다 국선도는 여러 가지로 나에게 도움이 되고 있습니다. 신체적으로는 물론 정신적으로도 도움이 됩니다. 매일 매일의 기록에서 어떠한 변화가 생겨나는지 같이 확인해 보시지요.

국선도를 처음 시작하시는 분들에게 작은 도움이 되었으면 좋겠다는 생각으로 나의 경험을 나누려고 합니다.

책 속의 혈자리 그림은 여동생 김효신의 도움을 받았습니다.

1부

입문 入門

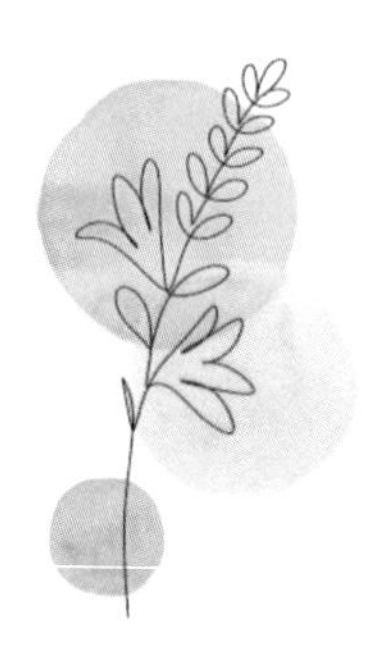

국선도 1일차 - 해결 과제가 생기다

7월 첫 주 월요일 10시 정각에 맞추어 증포동주민센터 다목적관 2층 교육실에 들어섰다. 주민센터에서 주관하는 평생학습 프로그램 중 국선도를 배우는 첫날이다. 교육을 신청했지만 국선도에 대한 사전공부나 준비는 전혀 안되어 있는 상태였다. 교육실에는 이미 수강생으로 가득 차 있었고 나는 마지막 입장하는 수강생이었다. 뒤에 알고 보니 대부분 수련생들은 20~30분 전쯤 오셔서 미리 몸풀기 운동이나 자세 교정을 하신다고 했다. 이전 수강했던 다른 교육과 마찬가지로 남자 교육생은 나 혼자였다.

"이상하게 들리는 음악을 틀어놓고 국선도를 수련해서 사이비 종교로 착각하시는 분이 있는데 이건 그런 것이 절대 아닙니다."

첫날 시작시간에 국선도 사범님이 강조했다. 유튜브에서 국선도 강좌를 클릭해 열어보면 도인 같으신 분들이 말씀하시는 것이 사이비 종교로 착각할 수 있겠다는 생각도 들긴 했었다.

처음에는 몸풀기 운동만 30분 이상 진행했다. 머리와 팔다리에 있는 혈을 누르면서 풀어주는 동작인데 혈에 대하여 익숙하지 못해 혈을 찾기가 쉽지 않았다. 혈을 제대로 찾아서 누르면 아파야 하는데 내가 누르면 아프지 않았다. 엉뚱한 곳을 누르고 있었기 때문이고 사범님이 혈을 제대로 짚으면 자지러지게 아팠다. 혈자리가 제대로 눌려 내가 앓는 소리를 내면 주위 선배들이 웃으셨다. 옆자리에서 운동하시는 선배님이 경력이 좀 되신 분이라 내가 자세가 바르지 못하면 그때그때 바로 일러 주셨다.

한 동작 씩 앞에서 사범님이 하시는 자세를 따라 해 보기 시작했다. 어떤 자세는 쉽고 어떤 자세는 어려웠다. 동작을 따라 하다 보니 내 허리 자세가 바로 되지 않았다는 것을 알게 되었다. 서각처럼 같은 자세로 오랜 시간 쭈그리고 하는 활동이 허리에 무리를 준다는 것을 알고 있었는데 실제로 허리와 관련된 동작은 쉽지 않았다.

30년 이상 책상에 앉아서 일하던 버릇은 허리를 꾸부정하게 만들었고 허리를 바르게 한 자세가 오히려 불편한 상태가 된 것이다. 지방근무를 10년 이상 오래하면서 주말부부로 장시간 운전하는 날이 많았다. 꾸부정한 자세로 몸을 풀지 못하고 장시간 운전하는 버릇이 허리가 바로 서지 못하게 된 원인이기도 하다. 내 차 운전석에는 두툼한 허리받침이 있어야 하고 이것이 없는 차는 운전하기가 힘들었다.

산에 다닐 때는 특별히 몸에 불편한 곳을 몰랐는데 각각 구분해서 운동을 하다 보니 나의 약한 부분이 발견되었다. 국선도를 통해서 바로 잡아야 될 목표가 하나 생겼다.

바른 허리와 허리관리에 정통한 책은 서울대 의대 정성근 교수의 '백년허리'다. 수술보다 바른 자세가 우선이라고 강조하시는 분이다. 평소에 좋은 자세를 유지하는 것이 중요하다고 강조한다. 나는 내 허리는 괜찮다고 생각해서 그 책을 좀 더 주의 깊게 읽어보지 않은 것이 후회가 되었다.

복식호흡도 자연스럽지가 않았다. 지금까지 호흡은 호흡한다는 의식이 없이 저절로 가슴만 움직이는 얕은 호흡, 흉식호흡이었다. 그런데 복식호흡은 이를 의식하고 들이마실 때 아랫배가 나오고, 내쉴 때 배가 들어가는 호흡이라 순서가 익숙해 지지 않았다. 의식하고 호흡하니 자연스럽지가 않았다. 호흡하나 제대로 하지 못하고 있었다니! 이제라도 알게 되어 다행이다. 지금부터 시작이다.

사범님이 단전에 손을 대라고 하시는데 단전이 어딘지 몰랐다. 단전호흡을 배우러 왔는데 단전이 어딘지도 정확하게 몰랐던 것이다. 하긴 모르기 때문에 배우러 온 것이다.

단(丹)은 기의 뭉치, 전(田)은 기운이 모이는 자리를 말한다. 즉 단전은 기가 모이는 곳으로, 배꼽 밑의 하단전(下丹田), 가슴 한가운데의 중단전(中丹田), 이마 한가운데의 상단전(上丹田)이 있다. <나는 국선도를 한다> 고정환

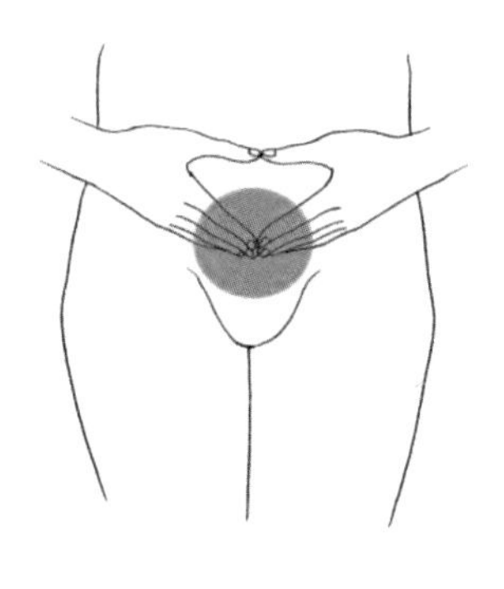

[하단전]

하단전은 양손의 엄지손가락 끝을 가로로 마주 대고, 나머지 손가락을 자연스럽게 모아 역삼각형을 만들면, 검지와 중지 사이에 생기는 마름모꼴의 지점이다. - 출처 <명상학교 수선재>

에세이를 쓰기 시작했는데 에세이가 뭔지 모르는 것과 같은 것이다. 지난 봄 에세이 책 만들기 수업을 수강했는데 수업내용 중에서 임정은 선생님이 강조한 다음 번에 책을 쓸 때의

주의사항이 떠오른다.

“책 발행 목적과 독자를 명확히 하세요. 왜 책을 내야 하는지, 누구에게 전달하고 싶은지, 누구에게 필요한 책인지를 생각해 보세요.”

이 책을 쓰는 목적은 나처럼 국선도를 처음 시작하는 사람들에게 도움을 주기 위함이다. 그 내용은 국선도를 수련하면서 쉽게 이해할 수 있는 정보로 채워질 것이다. 국선도의 용어와 자세가 친숙하지 않아 쉽게 이해하기 어려운 독자에게 국선도가 친숙하게 다가설 수 있도록 도움을 주고 싶다. 또한 국선도를 수련하면서 배우게 되는 것과 각 단계를 넘을 때마다 겪어야 하는 시행착오를 기록할 것이다.

나 역시 국선도를 처음 접하는 단계라 모든 것이 생소하고 어렵게 느껴진다. 이 책이 마무리되는 시점에는 국선도 초보의 딱지를 떼고 지인들에게 장점과 단점을 이야기 해줄 수 있을 것이다. 이제 국선도의 첫 날, 단전의 위치를 확실히 알고 국선도 단전호흡을 배우고자 한다.

국선도 2일차 - 국선도 진행 3단계

7월의 첫 수요일, 국선도 2일차 되는 날이다. 사범님의 권유대로 예정 시작 시각보다 20분 정도 일찍 도착했다. 몇 분의 수련생들이 오셔서 준비운동을 하고 계셨다.

첫 날 운동하면서 평소에 잘 사용하지 않는 상체의 근육을 써서 그런지 모르겠지만 월요일 밤부터 가슴부위가 결리는 것을 느꼈다. 안 하던 팔 굽혀 펴기까지 심하게 해서 그런 것 같다. 매일 등산을 하면서 다리 근육은 많이 생긴 것 같은데 상체 운동을 소홀히 한 결과다. 특히 손가락(관지)의 힘이 약하다는 것을 느낀다.

첫날에는 아무것도 모르고 앞에서 지도하시는 사범님의 동작을 따라 하느라 바쁘기만 했는데 오늘 보니 국선도는 3단계로 진행 순서가 있는 것 같다.

첫 단계는 경혈 누르기와 몸 풀기다.(전조신법 30분)

몸의 중요한 혈자리를 머리부터 발끝까지 차례대로 눌러준다. 누를 때 아프지 않으면 혈자리를 잘못 잡은 것이라고 설명한다. 지난번 수련시간에도 혈자리를 잘못 잡았다고 지적받았는데 오늘 또 잘못 잡았다. 아프지가 않았다. 아무래도 익숙해 질 때까지 손과 다리는 볼펜으로 혈자리를 표시해 두는 것이 좋을 것 같다.

혈자리 누르기 중 가장 쉽고 효과적인 것은 시신경 누르기다. 시력 회복에 좋다고 한다. 눈 밑 시신경을 양손의 엄지손가락을 제외한 네 손가락으로 누른다. 눈 위 시신경도 네 손가락으로 눌러준다. 누를 때 뼈를 느끼면서 자극을 준다.

혈자리 누르기 다음에는 스트레칭을 한다. 첫 날 스트레칭 시간에 나의 자세를 보시고 허리가 굽어있다고 사범님이 지적했다. 아마 아픈 허리를 바로 세우지 못해서 습관적으로 등이 휘어진 것이다. 오늘도 다리를 펴고 앉아서 허리를 앞으로 굽혀 손을 발 쪽으로 뻗어도 발끝을 쉽게 잡을 수 없을 정도로 허리가 굳어 있었다. 굳은 허리를 유연하게 만드는 것은 반드시 이 국선도 과정 중에 해결해야 될 과제이다. 다만 앉아서 하는 스트레칭 자세 중 몇 가지는 지난번 보다 좋아졌다고 평을 받았다. 아마 앉는 자세에 신경을 써서 좀 나아진 것 같다.

두 번째 단계는 명상과 단전호흡이다. (단전행공 30분)

이때 스피커에서 절에서 염불하는 소리 같은 음악이 들린다. 아마 이 음악소리 때문에 사이비 종교라고 의심을 받는 것 같았다. 호흡이 익숙하지 않은 초급자는 누워서 박자에 맞추어 호흡만 들이마시고 내쉰다. 다른 중급자들은 자세를 바꿔가면서 단전호흡을 하고 계신다.

마지막 단계는 몸 풀어주기 마무리 정리다.(후조신법 20분)

오늘은 두 번째 수련시간이라 순서도 조금 익숙하고 자세도 생각해 보면서 할 수 있었다. 호흡도 의식하면서 들이마실 때 배가 나오고 내쉴 때 배가 들어가는 것도 조금은 자연스럽게 할 수 있었다. 아직 갈 길은 먼 것 같다.

국선도 3일차 - 호흡하기

오늘은 4일차인데 3일차에 여행을 다녀와서 수련에 공백이 생겼다. 무슨 일이든 꾸준하게 하는 것이 좋은 결과를 낳는다. 중간에 하루를 쉬게 되니 경사를 오르던 차가 중간에 잠시 정지하여 오르던 탄력을 잃어버린 느낌이다.

안정화되던 호흡이 들쑥날쑥 해지고 순서를 잊어버리기 일쑤가 되었다. 사범님이 호흡을 특별히 강조하신다.

"호흡은 펌프질과 같습니다. 혈관에 공기를 주입하여 청소하는 역할을 합니다. 호흡이 제대로 되면 온몸 손끝 발끝까지 혈액순환이 잘되게 됩니다. 아기들은 복식호흡을 하여 숨을 들이마실 때 배가 나오고 내 쉴 때 들어갑니다. 성인이 되면서 이런 호흡법을 잊어 버리게 됩니다. 복식호흡을 하면 건강해집니다."

손주 건우가 자는 모습을 보면 배가 들쑥날쑥 하면서 숨쉬는 것을 볼 수 있다. 아기들은 왜 숨을 저렇게 쉬는가 했는데 그것이 바른 호흡법이었다. 사람은 복식호흡을 하면서 태어나서 죽을 때에는 가슴으로 호흡하다가 죽는다고 한다. 복식호흡의 중요성을 나타내는 말이다.

호흡(呼吸)은 내쉬는 숨(呼)과 들이마시는 숨(吸)을 합한 말이다. 숨을 들이마실 때는 가늘고 길게 들이마시고, 내쉴 때도 마신 만큼 가늘고 길게 뱉는데 초보자는 가능한 5초의 호흡을 부드럽고 일정하게 쉬어야 한다. <건강이 보인다 국선도 단전호흡>

다른 선배 수련생들은 다양한 단전호흡 자세로 명상을 시작하는데 나는 초보라 아직까지 누워서 호흡법을 익히라고 사범님이 지시한다. 숨쉬는 것도 단계가 있고 처음부터 막 해서는 안 되는 것이다.

스피커를 통해 나오는 덕당정사의 목소리가 이제 익숙해지기 시작했다. 처음에는 무슨 말인지 알아듣지 못했는데 이제는 동작을 취하라는 구령으로 들린다. 아직도 자세는 불안하고 손과 발의 위치가 좌우가 틀리기도 한다.

허리가 굳어 있다는 것을 실감한다. 두 발을 벌리고 앞으로 엎드리는 자세에서 나는 거의 내려가지 못한다. 옆을 힐끗 보니 가슴이 바닥에 가볍게 닿는 분들도 계신데 나의 굳은 허리는 굽혀질 줄을 모른다. 수련을 어느 정도해야 몸이 유연해질까 생각하고 있는데 사범님이 몸이 유연한 사람이 있고 그렇지 못한 사람도 있다고 말씀하시니 쉽지는 않을 것 같다.

폐는 심장과는 달리 자체 운동 능력(근육)이 없기 때문에 늑간근육과 횡격막의 운동에 의해 수동적으로 움직이게 된다. 숨을 들이마실 때는 가슴속이 넓어지면서 공기가 들어가고 내쉴 때는 횡격막이 올라가면서 가슴속이 좁아져 폐가 수축되어 공기가 빠져 나온다. 이것은 횡격막이 마치 풀무질하는 것과 같다. <덕당 국선도 단전호흡법>

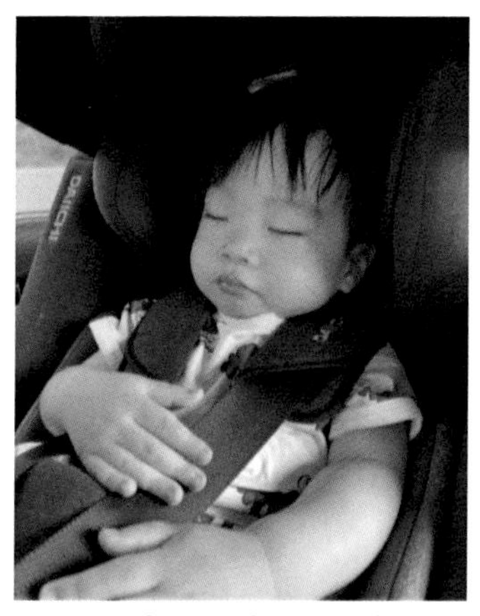

[복식호흡하는 손자]

단전호흡 4일차 - 백색 띠를 받다

(국선도의 역사와 6가지 수련체계)

오늘 백색의 도복 띠를 받았다. 띠를 착용하고 수련을 하니 정식으로 국선도 수련을 받는 기분이 난다. 태권도에서만 단계별 색상 구분이 있는 줄 알았는데 국선도에도 행공 단계에 따라 띠의 색상이 다르다. 입문서를 살펴보니 행공 단계는 모두 6단계가 있고 단계별 두 셋의 띠 구분이 있는데 16가지 종류의 띠가 있다.

사범님의 띠 색상을 보니 검은 바탕에 노랑색 띠로 제 4단계의 중단 정도 이다. 700일 이상의 수련기간이 필요한 상당히 높은 단계로 보인다.

백색의 띠를 받았으니 아무것도 없는 것에서 한 단계 올라왔다고 보아야 한다. 사실 백색 띠를 받으려면 50일 이상의 수련기간이 필요하다. 다만 웃옷이 자꾸 말려 올라가니 고정시키라고 주신 것 같다.

수련 4일차 인데 아직도 호흡이 꼬인다. 복식호흡이 제대로 되지 않는다. 호흡을 의식해야 숨 내쉴 때 배가 들어가고, 들이마실 때 배가 나오는 데 이마저도 동작을 따라 하다 보면 뒤죽박죽이 된다. 오늘 사범님이 내 앞에서 호흡하는 자세를 보여 주시는 데, 배에서 단전까지 숨이 내려가는 단전호흡이었다. 나는 아직도 배에서 오르락 내리락 하고 있다.

허리의 자세도 계속 꾸부정하다고 사범님이 두 번이나 등을 펴라고 시범자세를 보여 주시면서 수정을 요청하신다. 조금 자리를 잡아가나 했는데 처음 수련하는 것이나 마찬가지인 셈이다. 수련을 매일 해야 빨리 익숙해 질 텐데, 일주일에 두 번이라서 수요일 수련 후 5일이 지난 월요일의 수련은 자세가 안 나온다.

오늘 백색 띠를 받아 초심의 중요성을 생각해 본다. 무슨 일을 하던 초심자인 때가 있다. 서툴고 익숙하지 않고 자세도 안 나오고 따라 하기 바쁜 때이다. 솔개가 먹이 감에 다가설 때에 하늘에서 바로 날아들지 않고 공중을 빙빙 돌다가 서서히 원을 좁혀 온다. 목표로 바로 돌진하지 않는다. 나도 목표에 직진하는 것이 아니라 목표의 주위를 서서히 돌고 있는 단계다. 조금씩 원의 지름 거리를 좁혀 가면서 돌고 있다.

국선도의 역사를 살펴보면 상고시대부터 생활건강법으로 전해 내려왔다고 한다. 관련된 책이나 수련시간을 살펴보면 국선도는 종교가 아닌 것 같다. 고구려나 신라시대의 심신 수련법을 그 원천으로 본다. 근래에 와서는 1960년대부터 일반인에게 선보이게 되었고, 민족 전통의 심신 수련법으로 요가와 기공, 명상을 모두 포함하는 수련 체계를 갖고 있다.

국선도의 핵심은 몸과 마음이 균형을 이뤄야 한다는 것으로, 궁극적으로 인간의 생명력을 강화하고, 덕성을 쌓고, 질병을 예방하여 치유하는 데에 그 목적을 두고 있다. <나는 국선도를 한다>

국선도의 모든 동작은 몸의 동작이지만 마음의 자세이기도 하다. 국선도에는 6가지의 수련체계가 있다.

조신 調身 (스트레칭) 몸을 고르게 조절하여 비틀어진 몸과 자세를 바로 잡는다.
조심 調心 마음 조절법
조식 調息 호흡하는 법
조식 調食 식사하는 법
조리 調理 이치를 깨닫는 법
조정 調精 정을 양생하는 법

명상을 하면서 몸 속을 운동시킨다. 명상 상태에서 호흡을 통해 몸 속의 장기를 운동시켜 몸과 마음의 건강을 함께 잡는 것이 국선도의 목적이다.

국선도 5일차 - 도복을 입다.(두좌법과 기세수)

드디어 국선도 도복을 받았다. 진한 군청색 상하의 수련복이다. 도복을 갖추어 입으니 이제 정말로 수련을 시작 한다는 마음이 든다. 복장을 제대로 갖추니 수련하는 자세도 조금 더 안정된 느낌이다.

제복은 중고등학교 시절 칼라가 있는 검은색 학생복을 시작으로 대학교에 입학해서는 교련복을 받았고, 군대에서는 지긋지긋한 군복을 입었다. 신병 때 지급받은 새 군복을 정성껏 빨아 내무반 뒤쪽 빨랫줄에 걸어 놓았는데 오후에 찾아보니 사라졌다. 군복에 대한 트라우마가 생긴 날이었다. 식품회사인 직장을 다니기 시작하니 작업복(위생복)을 입기 시작했다.

이젠 나이가 들어 제복과는 영영 결별한 줄 알았는데 오늘 다시 수련복을 받아 입게 되니 제복과의 인연은 아마 끝이 없을 듯 하다. 다음엔 무슨 옷을 입게 될지 궁금해 진다.

이제 수련 5일차에 들어가니 자세와 동작이 조금 익숙해 지는 것 같다. 아직도 사범님은 잘못된 자세를 수정해 주고 계시지만, 이제는 지적하면 바로 알아 듣고 자세를 바로 한다. '새로움은 익숙함으로 조금씩 낡아 진다.'고 한다.

허리를 숙여 손을 뻗치면 발끝에 손이 닿지 않았었는데 오늘은 조금 닿았다. 조금씩 개선이 되고 있다는 표시가 난다. 그래도 허리는 여전히 굳어있다. 숙여질 기미가 보이지 않는다.

"몸이 굳어 있으면 넘어졌을 때 뼈가 부러지거나 다치기 쉽습니다. 어린아이들이 넘어져도 잘 다치지 않는 이유는 몸이 부드럽기 때문입니다."

사범님이 몸의 유연성의 중요함에 대하여 강조하신다. 국선도는 몸의 구석구석 굳어있는 뼈와 근육을 풀어주는 것으로 시작한다. 평상시에 들여다 보지도 않았을 발바닥과 머리의 혈자리들을 누르면서 몸의 중요성을 느껴본다.

내가 보기에 수련자세 중 가장 어려운 자세가 바닥에 머리대고 물구나무를 서는 자세로 보인다. 지금은 전혀 따라 할 수 없다. 두좌법(頭坐法)이라고 한다. 머리로 앉는 방법? 내가 물구나무를 서려고 종종거리니 사범님이 와서 방법을 알려주신다.

"머리와 양손으로 정삼각형 점을 만들고 두 발을 조금씩 안쪽으로 디디면 다리가 공중에 뜨게 됩니다. 이때 허리를 펴면 됩니다. 천천히 올라가지 않고 깡충대면 머리를 다치거나 몸이 뒤로 넘어갈 수 있어 주의해야 합니다."

초심자는 머리를 바닥에 대고 엉덩이를 들고 다리를 펴는 동작(원산폭격?)만 유지하라고 한다. 아마 3개월 수련의 마지막 시점에서나 가능할 것 같다. 두좌법은 행공동작 중에서 제일 중요한 동작이라고 한다.

가장 쉬운 동작은 수련을 시작할 때 하는 경혈 누르기의 처음 동작인 '기 세수'이다. 양손을 마주하여 열이 날 때까지 비빈다. 양손바닥을 얼굴에 대고 세수하듯 위 아래로 문지른다. 피부를 깨끗이 하는 기 세수다. 얼굴 피부문제를 해결하고 노화 방지에 효과적이라고 한다. 오래 전 공원에서 하는 기체조 따라 하기를 할 때 꼭 했던 동작이다. 손에 열이 많이 날수록 효과가 있을 것 같다.

국선도 6일차 - 자연사(自然死)와 건강 수명

월요일 수업은 자세가 안 나온다. 쉬는 날이 길어서 그렇다. 매일 수련을 해도 될까 말까 하는데 하루 건너서 배우고 수요일 이후에는 5일 후에나 수련장을 찾으니 연속성이 떨어진다. 금요일 수업이 없는 날은 집에서 유튜브를 따라 하는 방식이 필요할 것 같다. 유튜브를 보니 덕당정사의 방식으로 촬영된 것이 있어 이번 주부터 아침에 시간을 내서 실천하기로 했다.

7월 첫째 주에 시작된 국선도가 이제 한 달을 마무리하고 있다. 동작과 자세가 아직도 미흡하기는 하지만 그래도 자세가 잡히고 호흡도 따라 하게 되었다.

수련 시작하기 전에 덕당정사가 살아 계신지 사범님에게 여쭈니 얼마 전 사범님이 수련 받던 기간에 돌아가셨다고 한다. 사인은 자연사! 모든 이가 꿈꾸는 사망원인이다. 오래 사는 것이 중요한 것이 아니라 얼마만큼 건강하게 살다 죽었느냐가 중요하다. 몸의 기력이 다해서 식욕조차 없어지게 되면 결국 신체에 영양분이 공급되지 않아 아사(餓死)하게 되는 것. 고통이 없고 편안하게 잠자다 맞는 가장 자연스러운 죽음이다.

결국 몸을 위해 운동을 한다는 것은 신체가 건강하게 유지되어 질병에 걸리지 않고 건강 수명을 유지하는 것에 목적이 있다. 오래 살면 더 좋겠지만 오래 사는 것이 목적이 아닌 건강 수명을 유지하는 것이 더 큰 목적이다.

몸을 방치하지 않고 구석구석 살펴보고 두드려주고 스트레칭하며 돌보는 것이 국선도의 시작이다.

국선도는 왜 건강에 좋은가

몸과 마음의 건강이 균형을 이뤄야 즐겁고 행복한 생활을 유지할 수 있다는 것이 국선도의 기본 원리이며 실천 방향이다. 사람의 몸은 하늘과 땅의 일부이며 작은 우주다. 국선도의 동작 하나 하나에는 자연을 경외하는 마음, 도리에 맞는 생활, 몸을 단련하는 수련이 함께 한다. <나는 국선도를 한다>

같이 수련하시는 분들 중에는 허리가 안 좋으신 분들이 눈에 띈다. 특정한 자세를 취하는데 거동이 안 되는 수준이다. 그런 상황에서도 열심히 동작을 따라 하신다. 몸이 상당히 안 좋은 상태에서도 국선도를 통해 점차 몸이 유연해지고 조금씩 개선되고 있음을 체감하시는 분들이다. 국선도가 건강에 좋은 운동이라는 것을 몸으로 보여 주고 계신다.

오늘은 시작하기 전 승단하신 분을 축하하는 시간이 있었다. 승단하신 여사님께 사범님께서 승단증을 드리고 직접 백색바탕에 노란색 줄이 간 띠를 매어 주신다. 꾸준하게 열심히 하셔서 중기단법 전편(백색띠)에서 중기단법 후편(백색띠 황선)으로 승단되셨다. 나는 언제쯤 도복 띠의 색깔이 바뀔 수 있을까? 희망적인 것은 물구나무 서는 두좌법을 시도해 보려고 하는데 다음달이면 성공할 수 있을 것이라고 사범님이 말씀하신다. 조급해하지 말고 계단 오르듯 한 계단 한 계단 오르면 될 것이다.

사범님께서 서울에 있는 수련원에서 70세의 연세에 사범으로 승격하여 구청강좌에서 지도하시는 분도 있다고 하신다. 나의 자세를 보며 내 구령에 맞추어 많은 사람들이 수련하는 도장의 모습을 상상해 본다.

국선도 7일차 - 혈자리 배우기 1

"혈자리는 누르면 아파야 돼요. 아프지 않으면 잘못 잡은 거에요."

사범님이 이야기 하신다. 그런데 내가 잡은 혈자리가 맞는지 혈자리라고 아픈지 그냥 세게 눌러서 아픈지 잘 구분이 되지 않는다.

'혈(穴)은 몸에 있는 구멍과도 같다. 기혈이 체내에 흐를 때에는 우리 몸에 있는 수많은 구멍을 지나 순환하는데, 만일 원활한 흐름이 이루어지지 못하면 막히게 된다.' <경혈지압, 마사지324>

몸의 혈자리를 찾을 때 손가락으로 치수를 잰다. 엄지의 넓이는 1치, 검지, 중지, 약지 세손가락을 모으면 2치, 거기에 새끼손가락까지 더해지면 3치가 된다.

한의학에서 사용하는 골도법을 소개 하겠습니다. 우리나라 전통 자는 1척을 30.3cm로 합니다. 따라서 1촌은 이것의 1/10인 3.03cm가 됩니다. 그러나 한의학에서 사용하는 몇 촌이란 이 자를 말하는 것이 아닙니다. 어른과 아이는 몸길이가 달라서 이 자를 쓸 수 없다는 결론이 나옵니다. 그래서 생각한 것이 골도법입니다. 骨度은 '뼈 자'라는 말입니다. 길이를 잴 때 그 사람의 뼈의 길이를 기준으로 셈하는 것입니다. <우리 침뜸 이야기> 정진명

결국 내 손가락으로 잰 1촌은 내 몸에만 해당이 되는 것이다.

백회혈(百會穴) - 독맥의 20번째 혈

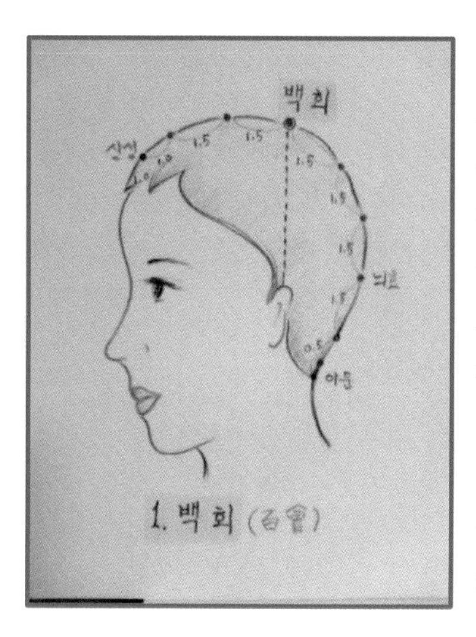

백회의 뜻은 '백 번이나 모인다.'는 의미이다. 우리 몸의 경맥이 모두 이곳에 집중되어 있다니 정말 중요한 자리다. 백회혈은 하늘의 기가 들어오는 머리의 정수리에 있다.

위치는 앞머리의 정중앙선과 양쪽 귀 윗부분을 연결한 선이 만나는 지점이다.

턱을 당기고 바른 자세로 양손의 검지, 중지, 약지를 모아 3~5초 간격으로 4~5회 눌러준다. 효과는 우리 몸의 경맥이 모두 모여 있는 것으로 유추할 수 있는데 각종 통증을 완화시킨다. 백회혈은 머리 정수리에 있어 두뇌를 맑게 하고 눈의 피로와 코막힘으로 인한 두통, 이명, 어깨 결림에 효과가 있다.

상성혈(上星穴) - 독맥의 23번째 혈

밝은 빛을 내는 별이라는 뜻을 가지고 있는 상성혈은 어디 있을까? 상성혈은 백회를 따라서 이마로 내려오면 머리카락이 나는 이마 끝 부분의 중앙에 있는 혈이다. 이마의 앞머리 나는 부분에서 1치 위로 올라간다.

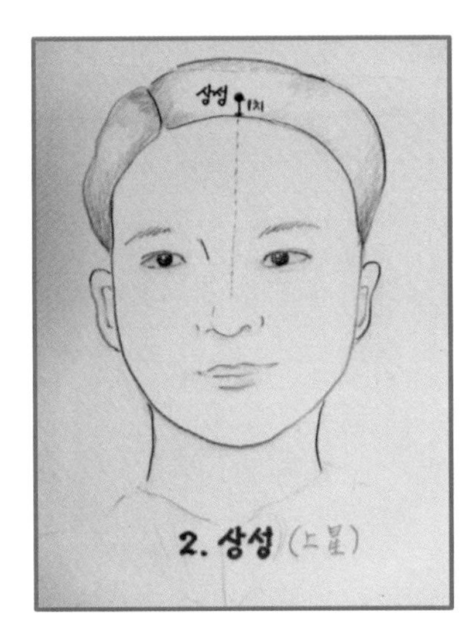

양손 검지, 중지, 약지를 모아 중지를 상성혈에 대고 3~4회 천천히 눌러주고 천천히 힘을 뺀다. 효과는 감기로 인한 코막힘에 효과가 있다. 두통에도 효과가 있다. 주변에 비염으로 고생하는 친구를 보면 앞머리 위를 자주 만져주라고 해야겠다.

"거기가 상성혈이야!"

객주인(客主人) - 족소양담경의 3번째 혈

객주인은 어느 곳의 통증을 감소 시킬까? 이름을 들여다보면 객과 주인이 만나는 곳을 의미한다.

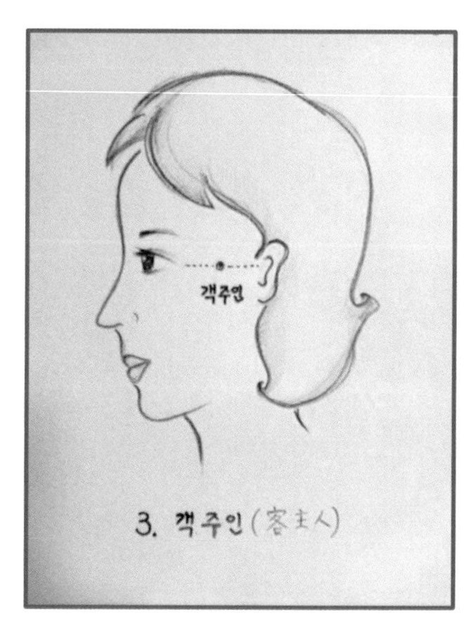

3. 객주인(客主人)

실제로 이곳은 세가지 혈이 만나는 곳인데, 하나는 주인이고 둘은 손님의 역할을 한다고 해서 붙여진 혈자리이다. 손님이 오면 주인은 손님 대접으로 머리가 아프다. 주로 며느리가 명절에 겪는 두통이다. 이 객주인 혈자리는 머리 통증을 감소시킨다고 한다.

위치는 눈과 귀사이의 우묵한 곳에 있다. 손가락을 모아 객주인혈에 대고 눌러주거나 원을 그리며 마사지 해준다. 바늘로 찌르는 통증을 느낄 수도 있다.

두통, 편두통, 현기증 등 머리가 아플 때 지압하면 통증이 사라진다고 한다.

국선도 8일차 - 혈자리 배우기 2

아침 일찍 수련장에 도착하니 사범님이 매트를 정리하고 계셨다. 사범님이 물었다.

"한 달 정도하시니 어떠세요?"
"온 몸이 느껴지는데요."
"그러실 거예요."
"근데 허리는 여전히 뻣뻣해요."
"몸이 유연해지려면 아직 멀었어요. 저도 처음 수련할 때 몸이 엄청 뻣뻣했는데 7~8년 수련하니까 유연해졌어요."

그 정도 기간을 수련해야 몸이 유연해지는데 고작 한 달 수련하고 몸이 어떻다라고 말하는 것은 너무 앞서나가는 것 같다.

토요일에 유튜브로 전조신법과 후조신법을 따라해서 그런지 오늘은 다른 월요일과 달리 몸이 조금 풀어진 느낌이다. 유튜브에서는 마스터(사범)마다 훈련순서가 조금씩 다른데 전체 흐름에서 큰 차이는 없는 것 같다. 쉬지 않고 수련해야 목표에 조금씩 도달할 수 있다.

'冬練三九 夏練三伏(동련삼구 하련삼복) 제일 추울 때와 제일 더울 때 수련하여 단련하면 몸이 튼튼해 질 수 있다는 뜻입니다.'

일년 중 가장 더운 삼복 중에 수련하는 수련생들을 위해 사범님이 문자를 보내셨다. 삼구(三九)는 가장 추운 때를 의미하는데 동지가 지난 후 9일간을 일구, 그 다음 9일을 이구, 그 다음 9일이 삼구이다. 가장 더운 여름 삼복이 지나고 동련삼구가 빨리 왔으면 좋겠다.

정명혈 (睛明穴) - 족태양방광경의 1번째 혈

요즘 스마트폰 때문에 눈이 시리다는 말을 자주 듣는다. 눈이 피로할 때 눌러주면 시원해지며 안구의 혈액순환이 좋아지는 혈자리가 정명혈이다.

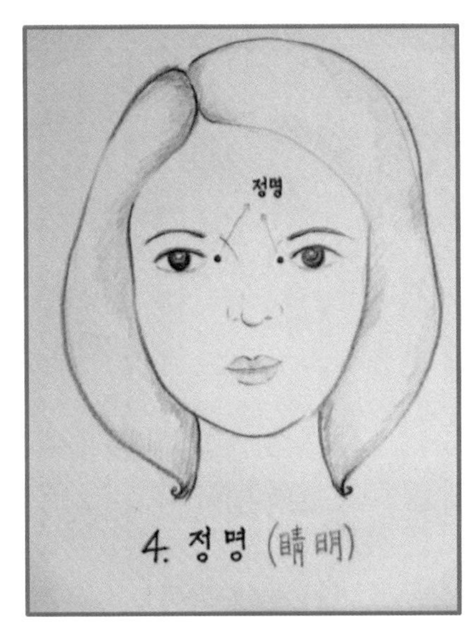

정명은 눈 안쪽 약간 움푹 파인 곳이며 양쪽에 각각 하나씩 있다. 양손의 중지로 너무 세지 않게 살살 비비듯 눌러준다.

이곳 혈자리를 눌러주면 충혈과 눈의 피로를 없애주며, 눈이 맑아지고 시신경과 시력을 좋게 한다.

정(睛)은 눈동자를 뜻하고, 명(明)은 빛나고 밝다는 뜻이다. 눈 주위의 열을 내려 시원하게 해주고 사물을 분명히 볼 수 있게 한다.

수구혈(水溝穴) - 독맥의 26번째 혈

우리가 인중이라고 알고 있는 코와 입술 사이 골이 있는데, 코밑에서 3분의 1 되는 곳이 수구혈이다.

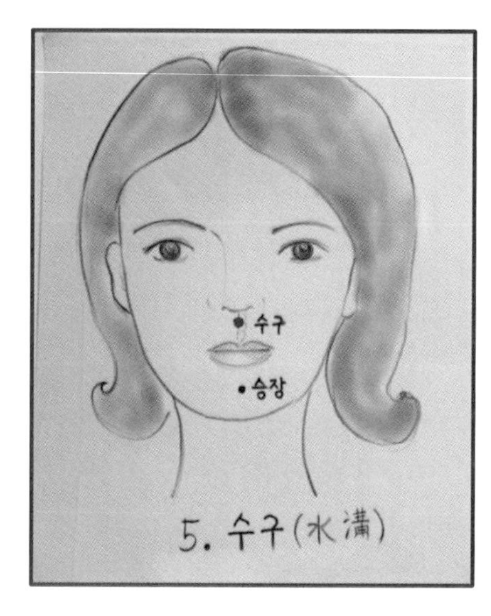

양손 새끼손가락을 수구혈에 대고 누르면서 검지, 중지, 약지는 잇몸에 대고 위아래로 흔든다. 양 엄지는 턱 아래 대고 턱밑을 골고루 눌러준다.

신경을 안정시키고 통증을 멎게 하는 효과가 있다. 가볍게 자극을 주면 정신이 맑아진다.

치아와 잇몸이 튼튼해지며 치통을 예방한다.

옛날 사람들은 하늘의 기운인 천기(天氣)는 코로 통하고, 땅의 기운인 지기(地氣)는 입으로 통한다고 생각했다. 때문에 코, 인중, 입 이 세가지를 '천지인'(天地人)을 구성하는 장소라고 보았다.

승장혈(承漿穴) - 임맥의 24 전째 혈

아침에 일어났는데 얼굴이 부어있다. 정신도 흐릿흐릿하다. 어디를 누르라고?

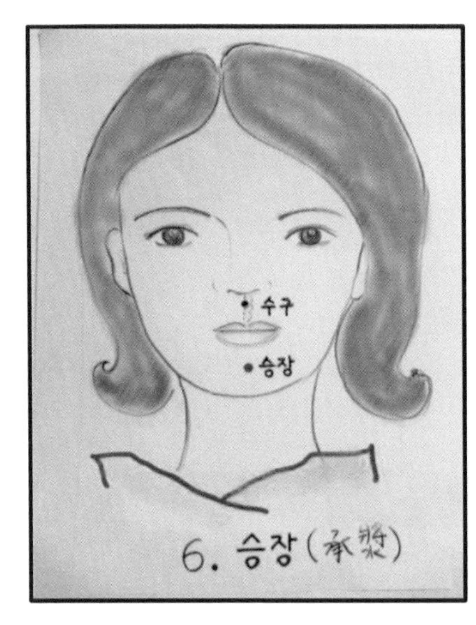

승장혈은 붓기를 빼주고 통증을 멎게 하며 정신을 맑게 하는 작용을 한다.

승(承)은 액체를 받는다는 의미가 있고, 장(漿)은 입안의 장액과 타액을 가리킨다. 수액을 아래에서 받는 위치의 혈이라는 뜻이다.

승장혈은 입술과 아래턱 중간에 움푹 파인 곳에 있다. 양손 새끼손가락을 승장혈에 대고 검지, 중지, 약지는 잇몸에 엄지는 턱아래 대고 골고루 눌러준다.

국선도 9일차 - 혈자리 배우기 3

국선도 수련 두 달째 시작 날이다. 수련 한 달 지나니 어느덧 자세가 조금 잡히며 몸이 유연하다고 느꼈는데, 가만히 생각해 보니 이른 아침에 서각판 재료를 준비한다고 톱질을 열심히 해서 몸이 풀어진 상태에 운동을 해서 그런 것 같다.

국선도 수련도 시작할 때는 전조신법 준비운동을 충분히 하고 행공수련을 하지만 그 전부터 몸을 충분히 풀어 놓으면 운동이 훨씬 자연스럽게 이어진다. 몸이 이완된 상태에서 수련은 좀 더 자연스럽고 부드러운 자세에서 생각도 해가면서 동작을 따라 할 수 있는 것 같다.

청궁혈(聽宮穴) - 수태양소장경의 마지막 19번째 혈

청궁의 위치는 입을 벌렸을 때 귀 앞쪽 작은 연골 이주 바로 앞 패인 곳이다.

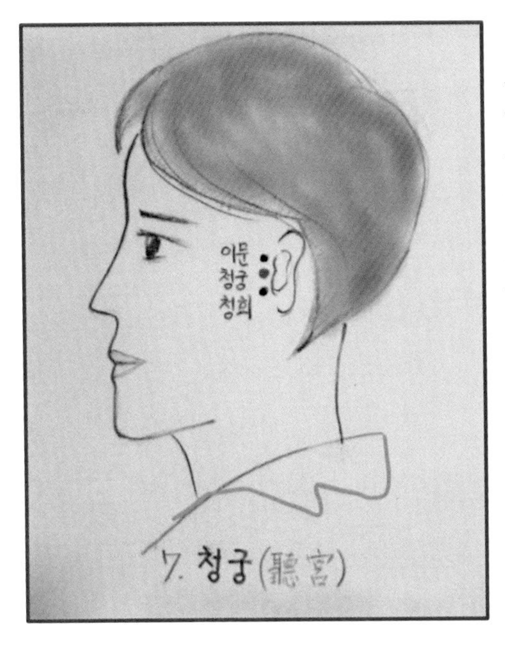

양손 엄지손가락으로 청궁에 대고 나머지 네 손가락은 머리 위에 대어 가볍게 누른다. 얼굴의 여러 신경이 지나가니 부드럽게 자극한다.

효과는 부교감신경을 활성화시켜 긴장과 스트레스를 해소하고 몸을 편안한 상태로 만든다.

신경성 두통을 완화하고, 머리 무거움, 현기증, 시력감퇴, 기억력 감퇴에도 효과가 있다.

청궁(聽宮)은 음성을 똑바로 듣는 장소의 중심부라는 뜻을 가지고 있다.

청회혈(聽會穴) - 족소양담경의 2번째 혈

청궁혈 밑으로 약간 내려가서 귀뿌리가 있는 곳이다. 즉 귓밥 바로 위로 귀뿌리가 잡히는 곳이다.

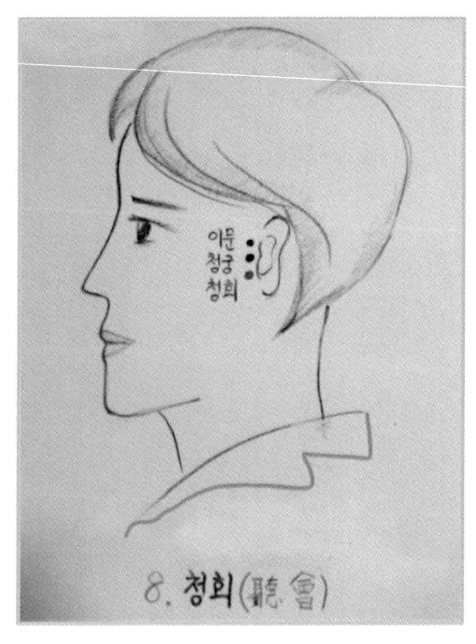

양 엄지 손가락으로 누른다. 네 손가락은 머리 옆을 받친다.

누르면 다소간의 통증이 있다. 처음부터 너무 큰 자극을 주지 않는다.

소리가 모이는 곳이라는 청회혈의 효과는 귓병이나 감기, 콧병, 목병 등에 효과적이다.

아문혈(啞門穴) - 독맥의 15번째 혈

머리를 앞으로 숙이고 목 뒤를 만질 때 움푹 들어간 곳이다.

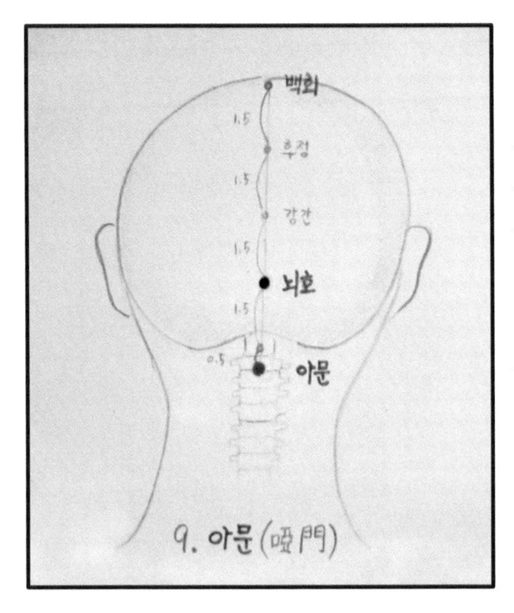

왼손 바닥으로 이마를 지탱하고, 오른손 엄지로 45도 위쪽으로 눌러 준다.

효과는 뇌의 피로회복에 좋다.

언어장애 증상에 효과가 있다.

완골혈(完骨穴) - 족소양담경의 12번째 혈

귀 뒤쪽 볼록 나온 뼈(유양돌기)의 아래에 움푹 패인 지점이다.

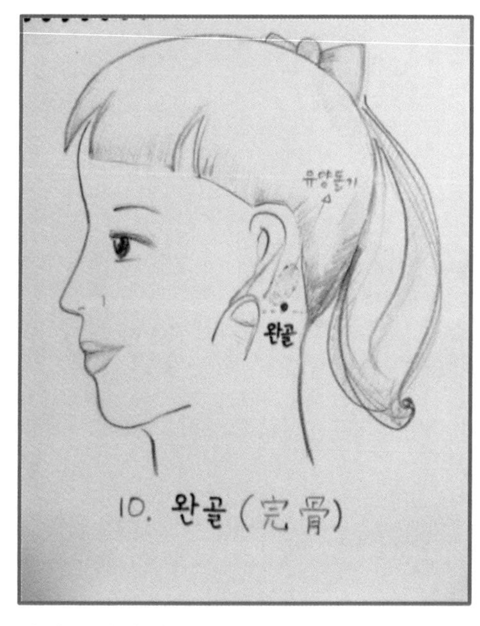

양손바닥으로 뒷머리를 감싸면서 양손 엄지를 완골혈에 대고 눌러준다.

효과는 머리 뒤쪽에 쌓인 피로를 풀어준다. 긴장상태의 교감신경을 가라앉혀 수면을 유도한다.

편두통, 현기증, 고혈압, 기관지염,후두신경통, 편도선염 등을 예방하고 머리에 혈액순환을 촉진시킨다.

귀 뒤쪽으로 솟은 뼈가 성벽과 비슷하고 머리와 신경을 보호하므로 완골(完骨)이라 했다.

국선도 10일차 - 혈자리 배우기 4

운전면허를 따고 처음 운전을 하면 앞만 보이고 주위가 안 보인다. 점차 운전시간이 늘어 차에 익숙하게 되면 주위도 돌아보고 라디오도 켜고 여유가 생긴다. 이제 두 자리 숫자로 수련시간이 늘어나니 몸 운동에 여유가 생기는 듯하다.

심장박동이나 호흡과 같은 생리 작용은 자율신경계에서 담당한다. 내가 굳이 하려고 의식하지 않아도 저절로 움직이게 되어있다. 내가 호흡을 의식하면서 한다는 것이 새로운 경험이다. 지금껏 호흡을 하지 않은 것처럼 처음 배운 것처럼 새로운 느낌이다.

또한 몸의 구석구석을 의식할 수 있게 된다. 머리끝의 정수리, 팔꿈치, 장딴지와 발바닥, 지금껏 부딪혀서 아프지 않는 특별히 관심이 가지 않았던 각 신체부위가 의식된다.

풍지혈(風池穴) -족소양담경의 20번째 혈

위치는 양쪽 뒤통수뼈 아래에 움푹 패인 지점이다.

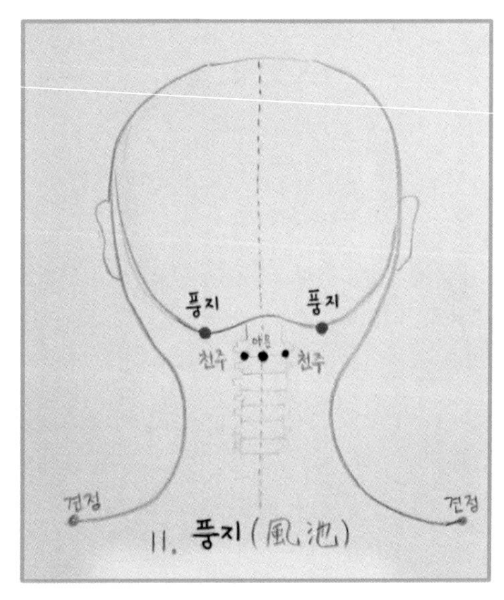

양 엄지손가락으로 풍지를 힘주어 4~5차례 눌러준다. 나머지 손가락은 머리를 감싼다.

뒤통수의 굳은 근육을 이완시켜 머리로 올라가는 혈액의 흐름을 촉진한다.

눈의 피로를 완화한다.

감기로 인한 관절통, 발열, 기침, 피로감을 없애준다. 베개를 잘못 베고 잤을 때 목이 뻣뻣해지는 증상을 개선한다.

혈자리가 함몰된 것이 마치 연못과 같아서 풍지(風池)라고 불린다.

천주혈(天柱穴) - 족태양방광경의 10번째 혈

뒷머리 정중앙의 머리털 난 언저리에서 가운데 목뼈 바깥으로 양 옆에 손가락 하나 너비로 떨어진 곳이다.

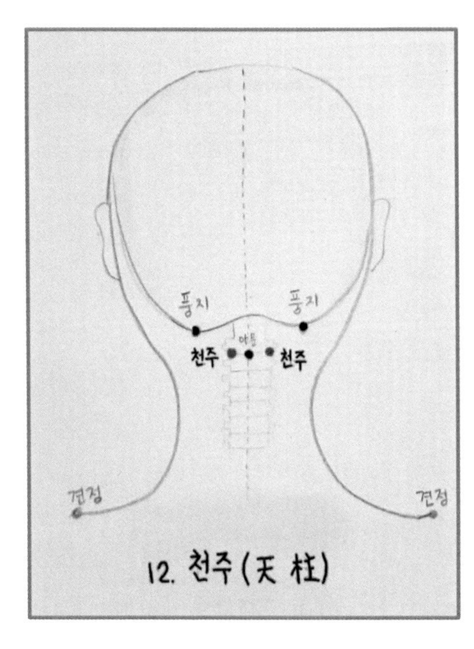

12. 천주 (天 柱)

네 손가락으로 머리 부분을 받쳐주고, 양 손 엄지로 천주혈을 부드럽게 밀어준다.

머리의 혈액순환을 촉진시켜 뒷목과 목덜미에 나타나는 통증을 완화해서 어지럼증이나 두통을 없애주고, 혈압을 안정화 시킬 수 있다. 차멀미에도 효과가 있다.

천주(天柱)는 '하늘을 떠받들고 있는 기둥'이라는 뜻이다. 머리를 하늘이라고 하면 목은 하늘에 닿아 있는 기둥 같다고 여긴 것이다.

뇌호혈(腦戶穴) - 독맥의 17번째 혈

뒷머리 정중앙상에 둥근뼈가 돌출한 바로 윗부분이다. 풍부혈에서 위쪽으로 3cm 지점이다.

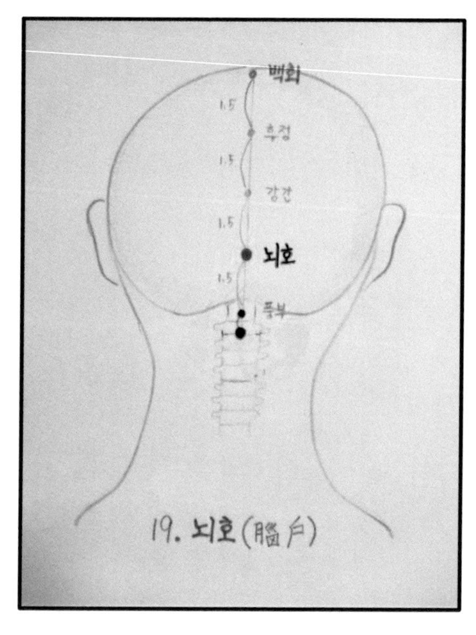

손가락이 머리 뒤쪽을 향하도록 양손바닥을 귀에 댄다. 검지손가락을 중지 위에 겹친 다음 밑으로 튕기면서 뇌호를 자극한다.

두통과 불면증에 효과가 있다. 청각 능력이 향상되고 뇌의 피로를 풀어주는 효과가 있다.

뇌의 호구(戶口)라는 뜻으로 회액이라는 이름도 있다.

국선도 11일차 - 혈자리 배우기 5

초보운전에서 어느 정도 적응되면 생각을 할 수 있게 된다. 이제 국선도 수련을 하면서 주위에 신경 쓰는 것이 줄어들고 생각을 조금씩 할 수 있게 되었다. 다음 동작의 순서도 생각해 보고 전면의 거울을 힐끗 보고 나의 자세가 바른지도 본다.

두좌법도 조금씩 접근해가고 있다. 양 무릎 끝에서 손바닥 넓이로 두 손을 벌리고 양 엄지의 삼각점에 머리를 대고 다리를 안으로 들여온다. 그러면 다리가 공중에 뜨게 되고, 허리를 펴고 두 다리를 곧게 세운다. 여기서 두 다리가 공중에 뜨는 과정까지 따라 하고 있다. 그러나 아직은 허리가 펴지지 않고 다리를 세우면 균형을 잡지 못하고 넘어진다. '옆으로' 넘어지면 다친다는데 꼭 옆으로 넘어간다.

견정혈(肩井穴) -족소양담경의 21번째 혈

어깨의 제일 높은 곳, 누르면 움푹 들어가는 곳이다.

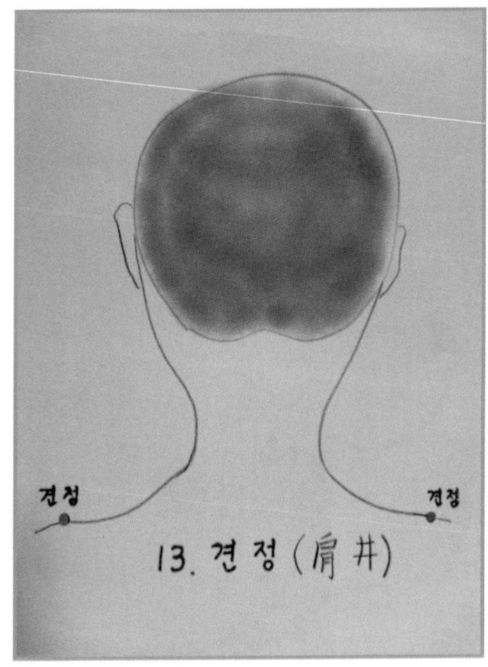

검지, 중지, 약지를 모아 딱딱해진 견정을 부드러워질 때까지 눌러준다.

어깨와 팔 부위 기혈의 순환을 원활하게 하여 목과 어깨의 결림을 해소한다.

피로할 때, 팔이 쑤실 때, 어깨가 무거울 때, 목이 뻣뻣할 때 눌러주면 효과가 있다.
오십견을 예방한다.

견(肩)은 어깨라는 뜻이 있고, 정(井)은 물이 모여드는 샘이다. 어깨에 경수(硬水)가 용출하는 샘이라는 뜻이다.

곡지혈(曲池穴) - 수양명대장경의 11번째 혈

팔을 직각으로 구부리면서 손바닥으로 명치를 받치면 팔꿈치 관절에 접히는 지점 바로 바깥쪽 움푹 파인 곳이다.

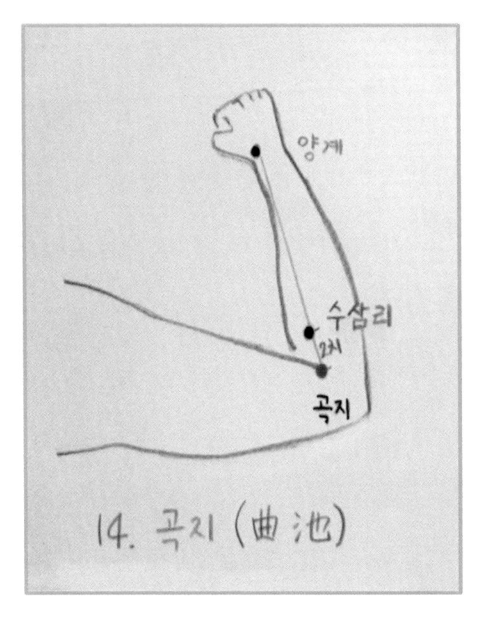

엄지를 곡지혈에 대고 나머지 손가락은 팔꿈치를 잡고 눌러준다. 세게 누르면 아프다.

자주 지압해주면 기혈의 순환을 증진시킨다. 피부의 상태를 개선한다. 곡(曲)은 굴곡을, 지(池)는 연못을 의미한다. 따라서 곡지는 구부리고 고인다는 뜻이다.

누가 체했다고 하면 팔을 구부려서 곡지를 찾아 3번 정도 눌러준다. 소화가 안될 때 곡지, 수삼리, 합곡을 눌러주면 트림이 나오면서 효과를 본다.

수삼리(手三里) - 수양명대장경의 10번째 혈

앞쪽 팔뚝, 손바닥을 위로 향하고 팔꿈치를 굽힌 곳(곡지)에서 손바닥 방향으로 손가락 3개 넓이에 해당하는 2치 거리에 있다. 불록 튀어나온 근육에서 가장 높은 지점이다.

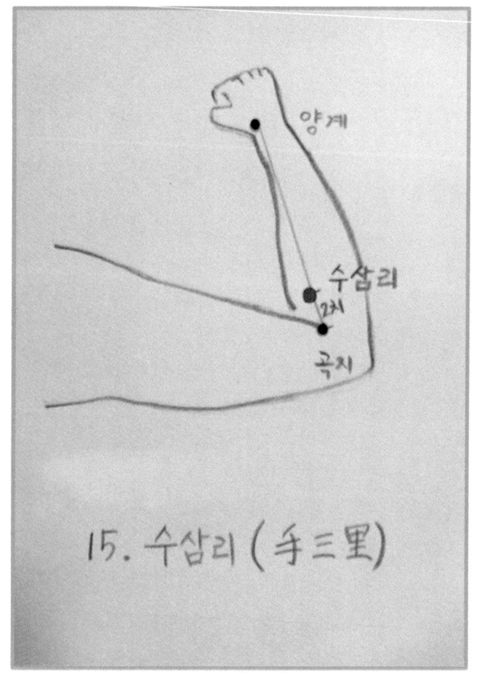

엄지를 수삼리에 대고 팔꿈치 아래를 감싸 잡고 눌러준다.

설사, 복통, 소화불량, 위경련 등 소화기계통의 질환을 예방한다.

이곳을 눌러주면 신경을 안정시킨다. 팔꿈치 바깥쪽에 나타나는 통증도 줄여준다.

팔꿈치에서 3치 떨어진 곳에 위치한다 해서 수삼리라 불린다.

합곡혈(合谷穴) - 수양명대장경의 4번째 혈

엄지손가락과 검지손가락을 벌려 우묵하게 꺼져 들어간 곳이다.

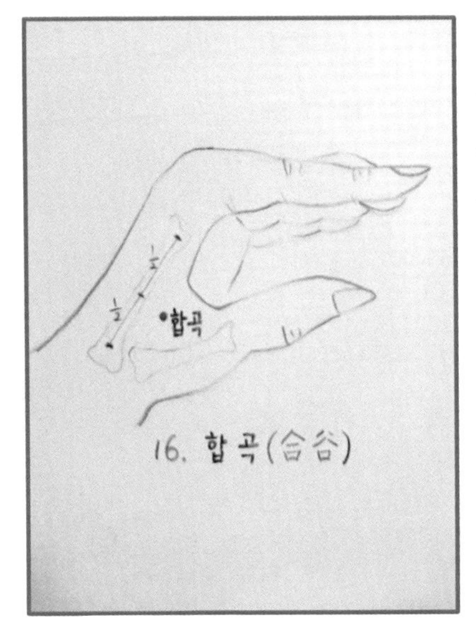

엄지손가락으로 합곡을 누르고 네 손가락으로 손 밑부분을 감싸쥐고 합곡을 팔목 안쪽 방향으로 꾹 누른다.

소화기를 편하게 하여 체증이나 더부룩함, 속이 답답한 증상을 완화하고 기운을 북돋는다. 안면주위 질환에도 효과가 있다.

이곳은 엄지와 검지 사이 함몰된 부위, 즉 호구(虎口)에 위치해 산 사이에 들어간 골짜기 같아서 합곡(合谷)이라 부른다.

국선도 12일차 - 오정훈(五正訓)

국선도 수련장에서 수련의 시작은 국기에 대한 경례이다. 그 다음으로 국선도 훈(訓)을 복창한다. 다섯 가지 훈은 국선도를 하는 사람들의 마음 자세에 대한 이야기다.

첫 번째는 정심(正心), 바른 마음이다.
정(正) 자는 한 일(一)자에 그칠 지(止)를 쓴다. 한가지를 지키기 위해 다른 것을 멈춘다는 뜻으로 '바를 정(正)'자를 쓴다. 그래서 정심(正心)은 바른 마음이다. 선한 마음, 정직한 마음, 밝은 마음, 고요한 마음, 맑은 마음, 넓고 포용력이 있는 마음이다. "정심을 다했는가?" 묻는다.

[국선도 오훈]

두 번째는 정시(正視), 바르게 본다는 뜻이다.
바로 옆에 앉아 있어도 스마트폰에 마음이 가 있으면 바르게 볼 수 없다. 사람을 보는 태도에 따라 결과가 다르게 보일 수 있다. 개인의 사사로움을 버리고 있는 그대로 보는 것이다.
"나는 바르게 보고 있는가?" 또 묻는다.

세 번째는 정각(正覺), 바른 깨달음이다.
깨닫는다는 것은 완전한 인식이다. 수련을 통해 얻는 정각은 몸과 마음이 하나되어 바른 마음으로 깨우친다고 한다. 나의 마음과 행동에서 무엇이 잘못되었는지를 깨닫는다. 그리고 올바른 방향을 생각한다. 어렵고 힘든 길이다.

네 번째는 정도(正道), 바른길, 올바른 도리를 말한다.
인간으로서의 바른 도리를 다하고 있는가? 진리의 길로 가려고 하고 있는가?

다섯 번째는 정행(正行), 바르게 행동함이다.
앞의 네 가지 훈 정심, 정시, 정각, 정도를 바르게 실천하자는 뜻이다. 마음 속으로만 굳은 결의를 하는 것이 아니라 즉시 그리고 바르게 실천한다. 이것은 생각 없이 행동하는 것이 아니라, 모든 행동에는 근본이 되는 생각을 하고 움직이자는 뜻도 있다. 생각 없이 살면 사는 대로 생각하고, 생각하면서 살면 생각하는 대로 살게 된다.

오훈(五訓)을 복창하는 시간은 10초 이내로 매우 짧지만 그 속에는 수많은 시간을 살아온 삶에 대한 올바른 자세와 행동을 말해주고 있다. 국선도 수련을 시작하려면 이 다섯 가지 훈의 정신자세로 들어가야 한다. 오만 가지 복잡다단한 마음을 비우고 오로지 몸과 호흡에만 집중한다. 수련의 시작이다.

오늘 사범님이 묻는다.

"국선도 한달 반 정도하셨는데 어떠세요?"
"아직 잘 모르겠어요. 일주일에 두 번뿐이라 수요일 이후 월요일에 다시 하려면 맥이 오히려 끊겨요."

일주일 두 차례의 수련으로 눈에 띄는 변화를 기대하는 것은 과욕이다.

국선도 14일차 - 혈자리 배우기 6

13 일차 수련기를 작성하지 못했다. 지방에 조문 갈 일이 있었다. 죽음이라는 것은 목숨이 끊어진다는 것이다. 태어난 아이는 자동으로 단전호흡을 한다고 한다. 그리고 자라면서 복식호흡을 하고 나이가 들어서는 가슴으로 호흡한다. 점점 더 나이가 들어 인생의 마지막 단계로 들어서면 호흡은 목까지 올라간다. 그리고 목에서의 숨이 쉬어지지 않게 되면 목숨이 끊어진다. 이것은 단전호흡의 중요성을 설명하는 좋은 예이다. 태어난 상태에서의 호흡, 단전호흡을 잘 익히고 유지한다면 숨의 길이를 연장할 수 있다는 설명이다.

용천혈(湧泉穴) - 족소음신경의 1번째 혈

발바닥 중심 선상 위에서 3분의 1되는 곳이다. 발가락을 오그리면 사람 인(人) 자가 나타나는 오목한 곳이다.

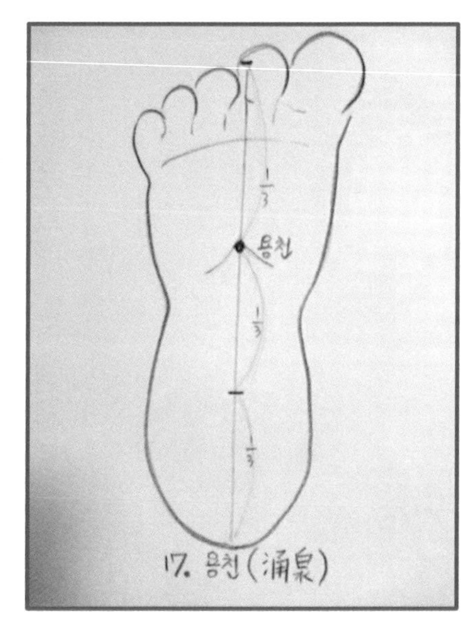

오른발(왼발)발목을 왼쪽(오른쪽)허벅지에 올려 놓고, 양손의 엄지를 혈 위에 대고, 숨을 들이마시면서 양 팔꿈치를 펴고 통증을 느끼도록 은근히 누르고, 숨을 내쉬면서 자세를 바로 한다.

신장의 기능을 강화해 준다. 소화기 질환에도 효과가 있다.

몸과 마음을 안정시키고 피로를 풀어, 푹 잘 수 있게 한다. 혈액순환을 촉진시키고 노화를 방지한다.

용(湧)은 용솟음친다. 천(泉)은 샘물의 뜻으로 우리 몸에서 기맥이 샘솟는 곳에 있는 혈자리이다.

삼음교혈(三陰交穴) - 족태음비경의 6번째 혈

발목 안쪽 툭 튀어 나온 곳에서 정강이 뼈 안쪽을 따라 손가락 네마디(3치) 되는 곳. 두 손을 나란히 발목을 잡고 두 엄지 손가락을 삼음교혈에 대고 호흡을 들이마시면서 강하게 누른 다음 호흡을 내뱉으면서 놓는다.

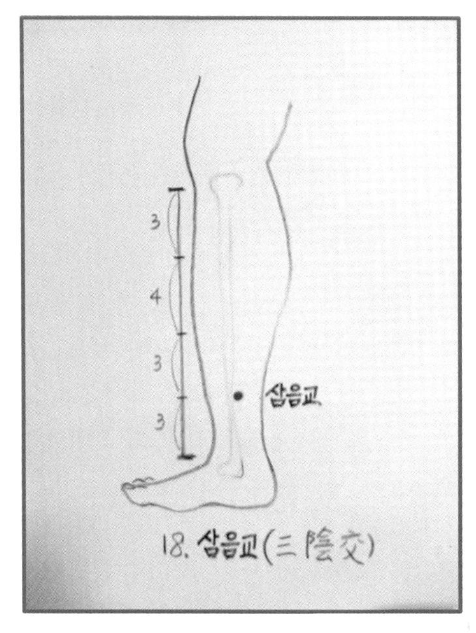

삼음교혈은 비장, 간, 신장 삼경이 교차되는 곳이다. 설사, 소화불량 같은 위장 질환, 산부인과질환, 비뇨기과 질환과 관련이 있다.

그 외에 불면증, 다리냉증, 다리마비, 다리신경통, 요도염에 효과가 있다.

삼음은 족삼음경을 가리키고, 교는 만난다는 뜻이 있다. 즉 삼음교는 족삼음경이 만나는 혈자리이다. (족삼음경:족태음비경, 족궐음간경, 족소음신경)

국선도 15일차 - 기(氣)란 무엇인가?

기는 있고도 없는 것입니다. 없다고 믿는 사람에게는 도저히 있을 수가 없고, 있다고 믿는 사람에게는 도저히 없을 수가 없는 그런 것입니다. 그러나 한 번 체험하면 믿지 않을 수 없는 것이 기입니다. 그러나 그 체험은 원한다고 되는 것이 아니고, 몸이 그런 반응을 일으킬 수 있도록 해놓아야만 할 수 있습니다. 그런 것을 체험할 수 있는 분야들이 우리 생활 주변에는 의외로 많습니다. 오천년의 전통을 지닌 활쏘기가 그러하고, 중국의 기공과 도인법이 그리하며, 그것에 무술을 접목시킨 내가권 계통의 무술이나, 근래에 우후죽순으로 등장한 단전호흡 같은 기 수련 단체들이 모두 그런 영역입니다.
<우리 침뜸 이야기> 정진명

기란 무엇일까? 매우 궁금하다. 그런데 이미 우리의 생활에

기는 깊숙이 들어와 있다. '기운이 없어 보인다.'라는 말도 한다. 기가 무엇인지 모르지만 기를 느끼고, 기가 있고 없고를 판단할 수 있는 것이다.

동양철학에서는 자연을 이해하고 그 속에 내재한 에너지를 기(氣)라고 표현한다. 이해하기가 매우 어려운 이야기다. 그럼에도 이해를 해보자 하면, 먼저, 물 한 잔을 생각해본다. 물은 보이지 않지만 그 안에는 수많은 산소와 수소들의 작은 원자들이 움직이고 있다. 이와 마찬가지로, 동양철학에서 말하는 '기'도 보이지 않지만 우리 몸과 자연에 내재된 에너지를 의미한다.

우리 신체는 '기'를 가진다. 이 기는 우리 몸 안에서 흐르는 에너지로 생각할 수 있다. 기가 원활하게 흐르면 우리는 건강하고 활력 넘치는 상태를 유지할 수 있다. 하지만 기의 흐름이 막히거나 불균형한 경우, 우리 신체는 불편하거나 아플 수 있다. 우리는 황당한 경우가 발생되면 '기가 막힌다.'고 말한다.

동양 철학은 올바른 태도와 행동으로 신체의 기를 조절하고 극대화하는 방법을 제시한다. 예를 들어, 요가나 태극권, 단전호흡 등 다양한 운동과 숨쉬기 연습을 통해 신체의 기를 조화롭게 유지할 수 있다.

현대 사회에서도 이러한 개념들은 건강과 웰빙 분야에서 활용되고 있다. 정신적인 안정과 스트레스 해소를 위해 요가, 명상, 단전호흡 등을 실천하는 사람들이 많아졌으며, 이러한 방법들은 신체의 기 조절에 도움을 준다. 간단히 말하면, '기'란 보이지 않는 에너지로서 우리 몸과 자연에 내재되어 있는 것이다. 올바른 마음가짐과 수련으로 기를 조절하고 극대화함으로써 건강과 웰빙을 증진시킬 수 있는 것이다.

따라서 우리 몸에서 기의 중요성은 3가지로 설명할 수 있다.

첫째로 기는 우리 신체의 에너지 흐름을 나타내며, 기가 원활하게 흐를 때 우리는 건강하고 활력 넘치는 상태를 유지할 수 있다. 기 조절을 통해 신체의 균형과 조화를 유지하는 것은 우리 신체적인 건강에 매우 중요하다.

두 번째로 기는 단순히 신체적인 에너지뿐만 아니라 정서와 마음에도 영향을 미친다. 올바른 마음가짐과 수련으로 기를 조절하면 내적 평화와 안정을 얻을 수 있다. 스트레스 해소, 감정 관리, 집중력 향상 등에도 도움이 된다.

세 번째로 기를 조절하고 극대화하는 과정은 자기 발견과 성장에 큰 역할을 한다. 내면적인 에너지를 탐구하고 계발함으로써 더 깊은 내 안의 나와 잠재력을 발전시킬 수 있다. 그리고 동양철학에서는 인간은 자연 속의 일부로 여긴다. 우리 몸 안의 기와 자연 속의 에너지들은 상호 연결되어 있으며, 이를 인식하고 존중함으로써 자연과 더욱 깊은 연결을 형성할 수 있다.

요약하자면, 기는 건강, 정서적 안정, 성장, 자연과의 연결 및 창조성 등 다양한 측면에서 중요하다. 기 조절과 극대화를 통해 우리는 더 나은 삶의 질을 경험할 수 있다.

국선도에서는 인체 속에 있는 기는 단전호흡을 통해 강해질 수 있다고 한다. 인체 내의 기가 강해지면 이는 경락을 통해 순환되는데 이를 통해 육신의 강건함을 추구한다.

'혈자리를 누르면 실제로 어떤 효과가 있을까요? 한마디로 기(氣, 생명 에너지)의 흐름이 좋아집니다. 동양의학에서는 기의 흐름이 정체되면 몸 상태가 나빠지고, 기력이 없어지며 병에 걸린다고 생각합니다. 이때 혈자리를 자극하면 기의 흐름이 좋아져 전신에 에너지가 넘쳐흐르게 됩니다. 바로 대표적인 혈자리 지압의 효과인 혈액순환 개선 덕분입니다.' <1분만 누르면 통증이 낫는 기적의 지압법> 후쿠쓰지 도시키

국선도 16일차 - 두좌법(頭坐法)을 시도하다

두좌법은 양손을 어깨너비로 벌려 엄지손가락이 앞을 향하도록 가게 짚고, 엄지손가락과 무릎을 잇는 선이 정삼각형의 밑면이 되고 머리를 삼각형의 꼭지점에 대어 몸 전체를 수직으로 하여 서서히 물구나무를 서는 것이다.

양손의 엄지손가락이 위로 향하도록 대고 눈으로 대략 삼각형을 그려보아 머리를 위의 삼각점에 대고 다리를 점차 안쪽으로 다가서면 두 다리가 공중에 뜨기 시작한다. 함께하는 수련생 중에는 두좌법을 실제로 하시는 분이 많지 않다. 연세가 있으시고, 허리가 안 좋아 시도하기가 어려운 자세이다.

두 다리가 하늘로 올라가기 시작하지만 자세가 바르지 못하고 몸이 한쪽으로 기운다. 양 손의 힘이 균일하지 못해서 몸이 바로 서지 못한다. 사범님께서 몸을 바르게 하는데 도와주기 위해 발을 잡아 주었지만 기대는 포인트가 생겼다는 생각에 몸이 더욱 기울게 된다.

양손의 힘도 그리 오래 버티지 못하고 다리가 바닥으로 내쳐진다. 그래서 이전까지는 바닥으로 그대로 몸이 쓰러졌는데 이젠 넘어가지는 않는다. 물구나무를 선 자세에서 허리를 펴야 몸이 바로 서는데 아직 허리가 펴지지 못한다.

두좌법은 전신의 혈액순환을 촉진시키는데 행공동작 중 가장 중요한 동작으로 생리에 미치는 영향도 크다고 한다. 이제 수련을 시작한지 두 달여 지나면서 두좌법을 실시할 수 있다는 것이 그나마 다행으로 생각된다. 갈 길이 아직도 멀지만 '천리 길도 한걸음부터' 끈기 있게 시도하면 어느 순간 목표에 가까워 진다는 것을 알 수 있을 것 같다.

자신의 인생을 스스로 통제하기 위해 가장 중요한 것은 꾸준하게 실행해야 한다는 것이다. 우리의 인생은 어쩌다 한 번 하는 행동으로 이루어지지 않는다. 꾸준하게 지속적으로 이루어지는 행동의 결과가 인생이다. 여기서 가장 중요한 열쇠가 되는 질문은 다음과 같다. 무엇이 우리의 모든 행동을 이끄는 것일까? 무엇이 우리가 취하는 행동과 우리의 미래, 인생의 궁극적인 종착역을 결정짓는 것일까? 무엇이 행동의 아버지일까? 내가 늘 암시해 온 대로 해답은 물론 결단의 힘이다. 우리가 인생에서 감격을 맛보거나 험한 시련을 맞게 되는 것은 살아가면서 내리는 크고 작은 결단에서 비롯된다. 나는 우리의 운명이 결정되는 것은 결단하는 순간이라고 믿는다. 지금 내리고 있는 결단이 우리의 미래를 결정할 뿐 아니라 현재의 감정 상태도 결정하게 된다. <네 안에 잠든 거인을 깨워라> 앤서니 라빈스,

[두좌법, 2023.09.22]

운동의 체험담과 호흡명상

오늘 조금 일찍 수련장에 도착하여 몸을 풀고 있었다. 수련생들끼리 이런 저런 말씀을 하신다.

"수련을 시작할 때 어떤 분이 말씀하시던데 수련을 하다 보면 아픈 곳이 있을 거라고, 그 부분이 몸이 안 좋은 부분이고 평소에 잘 쓰지 않는 부분이라고. 그런데 정말 수련을 해보니 아픈 곳이 있더라고요."

"결혼식 기념사진을 보니 다른 사람은 다리가 바른데 남편과 아들의 다리가 굽어져 있는 오다리로 보이는 거예요. 남편은 깜짝 놀랐죠. 아들까지 유전되어 그런지를 몰랐어요. 남편은 그때부터 매일 다리펴기 운동을 했는데 역시 꾸준하게 하니 다리가 펴지더라고요."

나도 수련 2개월이 지나니 몸이 펴지는 것 같은 느낌이 들고 의자에 앉는 경우에는 가급적 허리를 펴려고 노력한다는 의식이 있다. 움직일 때는 근육에 힘이 더 들어가고 더 단단해진 느낌도 난다. 손가락을 단련하는 관지단련(貫指鍛煉)으로 손의 힘이 세어진 느낌이 든다. 관지단련은 팔굽혀펴기를 양손의 다섯 손가락만 대고 20회 실시하는 것인데, 처음에는 잘 안되므로 무릎을 꿇고 하다가 점차 무릎을 떼면 된다. 다른 방법으로는 손바닥의 끝을 약간 걸치고 하는 방법이 있다.

국선도의 핵심은 호흡명상이다.

호흡은 어느 정도 익숙해지고 있다. 알기 쉽게 알려준 분은 내면소통의 저자 김주환 교수이다. 가슴 안에 위와 아래를 나누는 횡경막이 있다는 것을 상상하고 숨을 들여 마실 때 가슴 속의 폐가 부풀면서 횡경막이 내려가게 하고 갈비뼈의 아래 부분이 벌어지게 한다. 숨을 내쉴 때에는 횡경막을 올라가게 하고 갈비뼈를 바르게 한다. 이러한 호흡법을 지속하다 보면 어느새 의식하지 않아도 이렇게 호흡을 하고 있다.

호흡은 한 동작에 들이마시고 내쉬는 사이클을 8차례 반복하게 된다. 처음에는 한 동작의 시간이 매우 길게 느껴졌는데 시간이 갈수록 호흡의 시간이 짧아지는 것 같다. 깊이 있는 호흡을 하면서 호흡에 점차 빠져든다는 생각이다. 중간에 동작을 바꾸면서 호흡이 얽히기도 하지만 이내 바로 잡는다.
처음에는 횡경막의 움직임을 의식하다기 어느 순간에는 놓아 버리게 된다. 점차 호흡의 자세를 의식하지 않게 되는 것 같다. 지금은 호흡을 하다 멈추는 순간이 짧다. 들이마시다가 바로 내뱉게 되는데 바로 이 전환의 순간이 중요하다고 한다.

명상은 세 가지 자아를 구분하는 것에서 시작한다. 체험자아, 기억자아 그리고 배경자아이다. 체험자아는 지금 국선도를 하고 있는 나이다. 기억자아는 지난주에 했던 수련내용을 기억하고 불러오는 자아이다. 그리고 배경자아는 이 두 체험자아와 기억자아가 하는 행동을 바라보고 있는 자아이다. 배경자아는 두 가지 자아의 활동을 바라만 볼 뿐이다.

책을 읽고 글을 쓰는 것은 체험자아이고, 글을 쓰다 잠시 옛 기억에 빠지거나 기억을 소환하려고 하는 것은 기억자아이다. 배경자아는 바라본다. 체험자아와 기억자아를 의식하지 않고 배경자아만 있게 되는 상태가 명상의 시작이다. 과거와 미래를 의식이 가지 않고 현재에 머무는 상태, 들이마시는 숨과 내쉬는 숨 사이를 바라보는 상태이다.

수련장에서 몸풀기 전조신법을 하고 단전행공을 시작하면 주위를 의식하지 않고 깊은 명상의 세계로 들어간다. 순간 내가 어디 있는지 무엇을 하고 있는지도 잊고 호흡에 집중한다. 그런데 '국선도 책 쓰기'가 자꾸 떠오른다. 오늘 글 쓸 내용을 무엇으로 시작해서 정리할까! 머리 속으로 하나 둘 씩 정리하다 보면 어느새 행공시간이 끝난다.

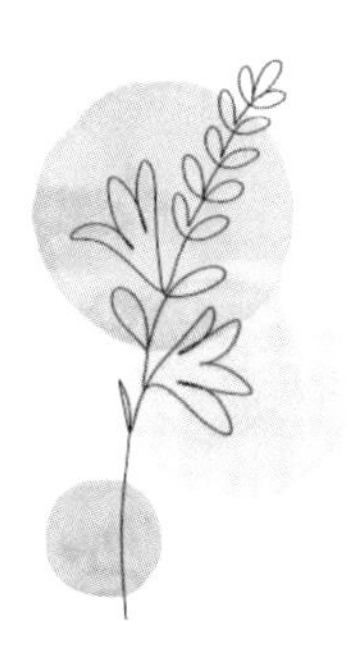

선도문(仙道文)이란?

단전행공(단전호흡)을 할 때 선도문을 낭송하는 유튜브나 CD를 틀어준다. 약 5초 간격으로 호흡의 박자와 길이를 맞추기 위함인데 들이마시는 숨이 네 박자이고, 내쉬는 숨이 네 박자이다. 단전호흡의 각 동작마다 들이마시고 내쉬고 또 들이마시고 내쉬는 것을 네 번 반복한다. 선도문은 선도활법, 건체강심, 효천애교, 일화창생 이 4 단어로 구성되어 있다. 그래서 선도활법할 때 숨을 들이마시고 건체강심할 때 내쉬고, 효천애교할 때 들이마시고 일화창생할 때 내쉰다.

처음 수련을 할 때 이상한 음악을 틀어준다고 느꼈던 부분이었다. 도대체 무슨 말인지 알아듣기 매우 어려웠는데 두 달 정도 지난 후에 선명한 CD로 선도문 낭송을 들으니 각각의 단어가 귀에 들어왔다. 단어의 의미보다는 호흡의 길이를 맞추고 다음 동작으로 넘어가기 위한 구령으로 보면 된다.

선도활법(仙道活法)는 심신수련법인 국선도를 통해서 생명체에 활력을 넣어 준다는 의미이다. 국선도를 하면서 몸의 구석구석을 스트레칭하고 명상하고 다시 몸을 풀어주니 활력이 생기지 않을 수가 없다. 전날 피곤한 일이 있었더라고 국선도 수련을 하면 몸이 개운해지고 안정화되는 느낌을 갖게 된다.

건체강심(建體康心)은 건체는 건강한 체력을 의미하는데 근육이나 뼈뿐만이 아니라 오장육부와 같은 내적인 신체의 건강을 포함한다. 강심은 강한 마음이 아니라 '마음이 평안해진다'의 뜻으로 고요한 마음가짐을 갖게 된다는 뜻이다. 불안이나 스트레스는 머리에서 느끼는 것이 아니라 몸에서 일어나고 머리로 전달된다고 하는데 건강한 몸을 통해 건전한 마음을 이끌어 내는 것이다.

효천애교(孝踐愛橋)는 효천은 효를 실천한다. 애교는 사랑을 베푼다는 의미이다. 가족간 일가를 이루며 같이 살던 대가족 생활방식이 급속히 변화되면서 부모와 자식간 독립세대를 이루면서 효의 개념이 퇴색하였다. 한 달에 한 두 번 부모님을 뵙는 것도 의무감처럼 느끼고 가족간 정다움을 찾아보기 어려워졌다. 이런 시대에 효를 이야기하는 것은 구태의연하게 보일 수 있겠으나 효에 대하여 다시 생각해 보는 시간이 될 수 있다.

일화창생(一和蒼生)는 일화는 온천지가 화합되고 조화롭다는 뜻이고 창생은 사람을 뜻한다.

중기단법 전편

주민센터의 국선도프로그램은 월, 수 주 2회 수련하는 것이었다. 수련생과 사범님이 주 2회 수련으로 부족하다는 생각으로 담당주무관과 협의해서 금요일 수련시간을 추가했다. 주 3회를 수련하니 단절감이 덜하고 수련의 연속성이 높아지는 것 같다. 금요일 수련시간에는 수련생이 많이 오지 않고 여섯 일곱 분 정도 참가하신다.

단전행공의 단계는 1단계인 중기단법(中氣丹法)이고 전편과 후편이 있다. 나를 비롯한 대부분의 수련생들이 중기단법 전편(백색띠)을 수련하고 있다. 후편을 수련하시는 분들도 계신데 서 너 분이 되시는 것 같다. 전편과 후편의 차이는 단전행공의 자세가 다르다. 전편의 단전호흡자세는 편하고 힘이 들어가지 않는 자세가 대부분이다. 후편으로 가면서 자세가 어려워진다.

2단계로 들어서면 건곤단법(乾坤丹法)이고 역시 전편과 후편이 있다. 3단계는 원기단법(元氣丹法)인데 여기에는 전편 중편 후편으로 나누어 진다.

이 삼단계의 수련을 거치면 건강에 대한 완전한 자신과 지식을 갖추게 되고 병의 자연치유를 기대할 수 있다고 한다.

이 삼단계를 정각도(正覺道) 단계라고 한다. 육체적 정신적 수련을 닦는 단계이고 이후 정각도 다음으로 통기법, 선도법 단계들 한층 고난도의 단계가 있다.

오늘 사범님이 앞에서 우리가 하는 중기단법 전편의 자세를 시범으로 따라 하도록 시범을 보여주시지 않고 본인의 단계에 맞는 단전행공을 하셨다. 중기, 건곤, 원기단법을 거쳐서 통기법중 진기단법의 자세이다. 보기만해서 아찔한 도저히 따라 하기 어려운 자세를 오랜 시간 동안 유지하면서 단전호흡을 하셨다.

"저도 처음 시작할 때는 여기 계신 초보자보다 더 못했었어요. 그런데도 꾸준히 하니 여기까지 올 수 있었습니다."

사범님은 처음 시작할 때 몸이 유연하지 못하고 굳어있어 자세가 제대로 나오지 않았다고 한다. 그러나 이제 사범님은 시간의 힘을 믿고 확신하고 계신다. 본인이 경험한 결과이다.

아직 초급단계인 중기단법의 전편도 어렵고 자세로 못 외우고 있는데 갈수록 깊은 단계가 있다는 것을 알게 되니 국선도의 깊이를 대략 가늠할 수 있을 것 같다. 초등학교 1학년이 대학생을 바라보고 있는 것과 같다고 할 것이다.

3개월 수련을 마치며 - 국선도의 장점

이번 주로 3개월간의 수련이 마무리된다. 국선도를 시작하면서 예상하지 못했던 장점을 많이 발견할 수 있었다.

몸을 구석구석을 살피다.

머리끝에서 발끝까지 몸을 구석구석을 주무르고 누르고 편다. 국선도는 크게 보면 몸의 이완과 호흡 이 두 가지 내용으로 구성되어 있다고 본다. 평소에 관심이 없었던 머리끝 정수리 부분이나 발끝의 혈맥을 누르고 펴면서 구석구석 신체의 중요성에 대해서 깨닫게 되는 기회를 얻었다. 수련을 하지 않았다면 평소에 결코 만져볼 생각을 하지 않는 신체 부위이다.

시간이 매우 빠르게 흘러간다.

국선도 수련시간은 약 90분이다. 짧은 시간이 아니다. 그런데 시간의 흐름을 잊고 각각의 동작을 취하다 보면 이 90분이 매우 빠르게 흘러간다. 만일 수련이 지루했다면 몸에서 꾀가 나서 수련장으로 향하는 발걸음이 무거웠을 것이고, 수련하는 동안 시계를 자주 처다 보았을 것이다. 재미있는 영화도 90분 몰입하기 쉽지 않다. 스마트폰을 두 시간 이상을 쳐다보지 않는 것은 이 시간 뿐이다. 책을 읽다가도 수시로 스마트폰은 만지작거리게 되는데, 이 시간 만큼은 푹 빠져있다는 표현이 맞을 것 같다.

근육이 생긴다.

평소에 쓰지 않는 근육이 커지는 것을 느낀다. 산행을 자주하기 때문에 종아리 허벅지 근육은 발달이 되어 있었는데, 수련을 하면서 잘 쓰지 않았던 팔과 손목 그리고 어깨의 근육도 발달하게 되었다. 관지훈련으로 손가락의 힘도 세어진 것 같다. 악력이 세지면서 손으로 하는 활동에 활기가 차진다. 목조각을 하면 나무가 시원하게 밀려나가는 것을 볼 수 있다.

고요한 명상의 세계로 빠져든다.

국선도 수련은 사범님을 포함해서 12명 정도가 모여 수련을 시작한다. 그런데 수련시간이 흐르면서 단전행공 시간이 되면 옆의 수련생들이 하나 둘씩 내 의식에서 사라지고 나중에는 나 홀로 수련하는 느낌이 든다. 깊지는 않지만 명상의 세계로 빠져드는 느낌이다. 깊은 산속에 있는 것 같기도 하고 점차 주의를 의식하지 않게 된다. 수련횟수가 늘어나면서 각각 수련동작이 몸에 익숙해지며 명상에 집중할 수 있게 된 것 같다.

혈자리에 대해서 공부하다.

평소 혈자리에 대해서 원리와 효과에 대해 궁금했었는데 이번 기회에 공부하고 정리할 수 있게 되었다. 동양의학의 신비함을 책으로만 봐왔는데 실제로 몸으로 체험할 수 있는 기회였다. 하지만 아직까지 혈자리를 누름으로 확실한 몸의 변화를 느껴본 것은 아니다. 이 부분도 정확한 혈자리를 바르게 누르고 반복하는 습관이 들어야 변화를 느낄 수 있을 것 같다. 아직은 정확도와 반복횟수가 부족한 것 같다.

국선도로 글을 쓰다.

'우디의 서재' 에세이 쓰기를 하면서 글 쓰는 맛을 보았는데 국선도로 이어갈 수 있게 되었다. 뭐든 글로 쓰는 것은 쉽지 않다. 내용을 생각하고 정리하고 써야 된다. 마냥 앉아있다고 글이 써지는 것도 아니다. 간간히 떠오른 아이디어를 묶고 엮어서 글로 만들어야 한다. 국선도 글쓰기의 특징이 다른 사람들의 생각과 글을 보고 정리하는 부분이 많은데 여기에 나의 생각까지 반영해서 새롭게 만들어야 한다.

아직은 미흡한 점도 많다.

아직도 허리가 굽어지지 않는다. 처음 국선도 시작할 때와 별다른 점이 없다. 수십 년간을 바르게 펴지 않았던 허리를 몇 번의 동작으로 펴는 것은 무리라고 생각했지만 삼 개월을 수련했는데도 변화가 별로 없다. 그렇지만 앉을 때의 자세는 가능한 허리를 펴고 앉으려고 의식하게 된다. 도서관에서 책을 보거나 글을 쓸 때 허리를 펴게 된다. 바른 자세로 앉기의 시작이다.

국선도를 하면 오장육부가 좋아진다고 하는데 아직 거기까지 느끼지는 못한다. 아직도 제자리를 잡지 못한 초보단계에서 너무 많은 것을 기대한다고 할 수 있겠으나 아직 특별한 느낌은 없다. 오행의 각 장부는 다음과 같다.

오행	목	화	토	금	수
장	간	심장	비장	폐	신장
부	담	소장	위장	대장	방광

수련을 시작하기 전 굳어진 몸을 풀고 체온을 올리기 위해 10분 정도 오기법을 한다. 오기법은 오장육부의 기를 넣는 동작으로 신장과 방광, 심장과 소장, 간장과 담장, 폐와 대장, 위장과 비장에 힘의 들어가는 자세로 숨을 들이마시고 마지막 순간에 숨을 내쉬는 자세를 취하는 방법이다. 효과를 보려면 자세를 바로 해야 되기 때문에 오랜 시간 수련이 필요할 것 같다.

Body alphabet

2부

전개 展開

두 번째 분기 수련시작

3개월간의 수련을 마감하고 다시 4분기 수련이 시작되었다. 한 단락을 마무리 하고, 다시 또 새롭게 시작한다는 것은 여러 의미를 준다.

먼저 그동안 노력한 성과를 돌아보게 한다. 무엇이든 노력한 만큼의 성과를 보여주기 때문에 짧은 기간이지만 내가 어떤 자세로 수련에 임했는지를 보여준다. 현재 나의 모습이 내가 그동안 노력한 결과임을 겸손하게 받아들일 수 있다. 수련기간 동안 잘된 동작과 잘 안된 동작을 정리해 보았더니 미흡한 부분이 눈에 들어왔다.

다시 새로운 시작이다. 수련하다 보면 문득 지루함을 느낄 수도 있을 텐데 한 분기로 또 새로운 시작을 하면서 처음 시작했을 당시의 신선함을 다시 느끼고 새롭게 마음가짐을 가다듬을 수 있다. 초등학생 시절 한 학년을 마무리하고 새로운 학년으로 들어갔을 때의 느낌을 다시 맛보게 한다. 산행하다 보면 올라가는 일정한 거리마다 이정표가 있어 내가 걸어온 길과 앞으로 가야 할 길을 안내해 주는데 마무리와 시작은 이정표와 같은 역할을 해준다.

이번 분기에 새로 등록하신 분들이 세 분이다. 수련용어도 생소하고 동작도 어려웠던 나의 첫날 수업 시간이 떠올랐다. 그땐 앞의 사범님과 옆의 선배들 동작을 따라 하면서 무슨 운동이 될지 하면서 머리가 복잡하였는데 지금은 눈감고 따라 하고 있다. 아주 익숙한 동작을 말할 때 "그런 건 눈감고도 해."라고 말하는데 단전행공 수련 중에는 눈을 감고 하는 것이 더 집중이 잘된다. 눈감고 한다는 것은 동작이 익숙하다는 의미에 더해서 동작에 더욱 집중할 수 있다는 뜻이 된다. 이번에 새롭게 알게 된 사실이다.

각각의 동작을 처음 하는 것처럼 따라 해보니 이제 많이 익숙해져서 바르게 따라 할 수 있는 동작도 있고 아직도 3개월 전 시작할 때 그대로인 동작도 있다. 앉아서 두 다리를 벌리고 뒤로 손깍지를 끼고 앞으로 허리를 굽히는 것은 여전히 제자리걸음 단계이다. 오늘 처음 하시는 분이 나보다 자세가 좋다. 그동안 무엇이 잘못되었는지 돌아보게 한다.

어제 여주 아는 형님 댁에 가서 불멍을 하기 위해 장작을 팼는데 이전보다 손에 힘이 들어가는 것을 느꼈다. 역시 관지 훈련을 한 결과로 보인다. 전에는 손도끼가 하늘에서 휘청거리면서 목표를 못 맞추었는데 이제는 속도와 힘이 붙는 것 같다. 그만큼 자신감도 붙는 느낌이다.

몸의 피곤함이 없다. 장시간 산행을 하거나 늦잠을 자면 피곤함이 몰려왔는데 이제는 피곤함을 잘 못 느낀다. 몸의 전신을 두드리고 이완시키면서 몸이 부드러워지고 가벼워진 느낌이다. 체중계는 전보다 조금 올라간 수치를 보여 주고 있지만 느낌은 더 가벼워진 것 같다. 날렵해진 느낌이 든다.

사람 몸의 세포는 주기적으로 생과 사를 반복하므로 3개월 전의 몸과 지금의 몸은 같지 않다. 그러므로 3개월을 짧은 기간이라고 할 수도 있겠지만 몸으로 느끼는 3개월은 짧은 기간이 아니다.

이제 새로운 3개월 수련을 시작하면서 다시 시작하는 마음으로 부족한 것을 돌아보고 3개월 후 더 좋아질 몸과 마음에 대한 기대를 해 본다.

긴 호흡

호흡(呼吸) 내쉴 호(呼)에 마실 흡(吸)이다. 내쉴 호는 입구(口)에 음을 나타내는 호(乎, 내쉬는 숨소리)로 이루어져 있다. 마실 흡(吸)은 입구(口)에 미칠 급(及)으로 숨을 입으로 들이마시는 것은 공기를 몸 속까지 다다르게 하는 것이다.

그런데 순서가 좀 이상하다. 숨을 들이마신 다음 내쉬는데 글자의 순서는 내쉬는 것이 먼저이고 그다음 들이 마신다. 아마 먼저 비우고 채운다는 의미를 나타내려고 내쉴 호 마실 흡을 쓴 것이 아닌가 생각해 본다.

국선도의 호흡은 평상시 호흡의 길이보다 길다. 단전행공시 호흡의 길이는 들이 마시는 것이 5초 정도되고 내쉬는 것이 5초로 한 호흡의 회전이 10초 정도된다. 자연스러운 상태에서 호흡의 길이를 3초 내외로 보면 평소 호흡길이의 3배 정도를 늘려서 들이마시고 내쉰다.

호흡은 폐가 부풀고 가라앉는 것이 전부가 아니다. 이것은 외호흡(外呼吸)을 말하는 것이고, 내호흡(內呼吸)이 또 있다. 내호흡은 폐로 들어온 공기 중 산소가 혈액과 결합하여 온 몸의 구석구석을 다니는 것이다. 혈액을 따라 몸의 구석구석 세포와 만난 산소는 영양분과 결합하여 몸의 에너지를 만든다. 그리고 이산화탄소가 만들어져 몸 밖으로 나가게 된다. 그래서 호흡을 길게 하면 충분한 산소를 몸에 공급하고 몸의 에너지를 최대로 만들게 된다.

호흡을 잘하는 것은 몸에 흡수된 영양분이 산소와 결합하여 에너지를 잘 만드는 것이다. 몸의 구석구석에 산소를 잘 공급하면 모세혈관의 끝까지 도달한 산소가 온 몸에 활력을 만드는 것이다. 혈에 기가 오르게 되어 건강해진다.

호흡과 더불어 어떠한 영양분을 주로 섭취했는가도 건강에 매우 중요한 조건이 된다. 빵, 백미, 밀가루, 당분 등 탄수화물과 건강하지 못한 지방 위주의 식사보다는 섬유소, 단백질 위주의 건강한 식사를 하는 것이 중요하다. 내가 먹는 것이 나를 만든다. (I am what I eat.)

음식을 먹어 영양을 흡수하고 호흡으로 산소를 공급하여 신체가 활동할 수 있는 모든 에너지를 만든다. 바른 영양분의 섭취와 바른 호흡법이 몸의 건강을 유지하고 회복하게 한다.

국선도에서 수련하는 단전호흡의 중요성을 알 수 있다. 국선도가 몸을 바르게 하고 바른 호흡으로 건강을 찾는다고 말하는 이유인 것 같다.

나이에드의 다섯 번째 파도

지난 주말 홍천에 여행을 다녀왔다. 장시간 운전, 음주와 산행으로 몸 상태가 개운하지 못한 채로 월요일 아침 국선도 수련장에 들어갔다.

허리가 조금 불편했다. 그래도 몸을 푸는 자세를 할 때는 별 문제가 없었다. 수련을 시작했다. 전조신법(사전 몸풀기 수련)을 따라 하면서 앉아서 두 다리를 벌리고 손을 등뒤로 깍지 끼고 허리를 굽히며 두 팔을 들어올리는 자세가 문제였다. 척추에 문제가 생긴 듯 통증이 심하게 느껴졌다. 이후로 허리를 움직여야 하는 자세는 전혀 따라 할 수가 없었다.

통증이란 몸의 경고 신호로 문제가 발생할 수 있으니 주의하라는 뜻의 메시지다. 무리하게 허리를 움직이는 동작을 계속 따라 하지 말하는 신호다. 오랜 시간 허리를 굽혀 고스톱을 치고 허리를 제대로 펴지 못하고 엉거주춤하는 경우가 있는데 그런 상태가 지속되었다. 사범님이 내 동작에 문제가 있음을 알아채고 허리를 사용하는 동작을 하지 말라고 하신다. 이렇게 오랜 시간 허리에 이상을 느끼는 것은 처음이다.

단전행공(단전호흡)의 순서가 되자 차분하게 호흡을 하면서 몸을 살펴 보았다. 허리의 오른쪽 부위에서 불편함이 느껴졌다. 후조신법(뒤 몸풀기 수련)의 순서에는 거의 누워있었다. 허리가 마음대로 움직이지 않으니 팔과 다리가 제각각 맘대로 흐느적거린다. 신체 어느 한군데 중요하지 않은 곳이 없겠지만 허리가 불편하니 몸이 내 몸 같지가 않다.

이제 국선도에 어느 정도 숙련단계에 들어서 두좌법도 제대로 하고 자세도 바로 잡고 하려는데 정상적인 것이 하나도 없다. 잘난 척을 말자. 항상 겸손하고 배우는 자세로 임하자. 다시 다짐을 하게 된다.

허리가 약한 것을 알고 있어 오늘은 좀 더 강하게 숙여 보았는데 오히려 역효과가 났다. 약한 부분은 강화하지 말고 살살해야 될지 조금 더 유연해지도록 세게 해야 될지 고민했는데 정답은 '무리하지 말자.'이다.

일요일에 넷플릭스에서 '나이에드의 다섯 번째 파도'를 보았다. 60이 넘은 나이에 쿠바와 플로리다 165km 마라톤 수영을 5번의 도전 끝에 성공한 실화를 그린 영화다. 나이에드는 60이 넘어선 나이에 무료함을 벗어나기 위해 준비하고, 준비하여 실패하고 또 실패한 끝에 165km의 마라톤 수영을 해냈다. 플로리다 키웨스트에 도착한 나이에드는 외친다.

첫째, 절대 포기하지 마라.
둘째, 꿈을 쫓기에 늦은 나이는 없다.
셋째, 수영은 고독한 스포츠지만 팀이 필요하다.

아마 영화를 보고 몸을 무리하게 움직이지 않았을까? 나이에드도 마라톤 수영에 성공하는데 그보다 젊은 내가 더 할 수 있지 않을까 하는 안일한 생각이었다. 몸과 마음의 준비가 필요하다. 무턱대고 도전했다가 도전 안 한만 못한 상황이 될 수도 있다.

[나이에드의 다섯 번째 파도 중]

통증의 해결

국선도를 너무 열심히 하다 허리를 삐끗하니 제대로 앉을 수도 걸을 수도 없는 지경이 되었다. 아내가 주변사람들에게 물어보니 모두 한의원에서 치료를 받는 것이 좋을 것이라고 당장 가보라는 권유를 했다. 그러나 병원에 가지 않고 참아 보기로 했다. 당장 달려갈 정도로 심한 통증이 아니어서 그런지도 모르겠다. 몸은 몹시 불편했다.

첫째 날의 밤에는 누우면 하중을 받지 않아 불편하지는 않지만 잠을 제대로 잘 수 없었다. 딸아이가 재빠르게 허리복대를 인터넷 신속구매로 장만해 주었다. 복대로 허리를 단단하게 조이니 앉을 때에 허리가 구부러지는 정도가 덜해지는 것을 느꼈다. 앉아있다가 일어 서면 허리에 통증이 와 제대로 설 수가 없었다.

다음날에는 집에 있는 것 보다 움직이는 것이 허리에 도움이 될 것 같아 설봉공원으로 향했다. 등산용 스틱을 양손에 들고 호수를 천천히 돌았다. 15분을 걷고 5분을 쉬고 반복했다. 조금씩 불편함이 익숙해 지는 것 같았다. 처음에는 허리 전체가 불편했는데 이제는 허리의 척추 오른쪽이 불편하다는 것이 느껴졌다.

수요일은 오전에는 국선도, 오후에는 서각 수업이 있는 날이었다. 국선도는 불편한 허리로 수련이 안될 것 같아 결석문자를 보내고 다시 설봉호수를 찾아가서 천천히 한 시간을 걸었다. 어제보다는 훨씬 가벼워진 몸이 된 것 같다. 등산용 스틱도 사용하지 않아도 될 것 같았다. 오후 서각 수업 시간이 되었다. 망치와 칼을 많이 사용해야 되는 작업이었는데 이상하게 오래 앉아 있었는데도 허리의 불편함이 느껴지지 않았다. 나무와 칼에 집중해서 공예작업을 하고 있으니 허리를 인식하지 못하는 것 같았다. 몸이 불편할 때 신경 쓸 곳이 없으면 계속 아픈 곳이 생각나지만, 뭔가 새로운 일을 하고 있으면 불편함을 잊게 되는 것 같았다. 신비로운 일이다.

시간이 지날수록 허리의 상태는 점차 원래의 상태로 돌아가고 있는 것을 느꼈다. 만일 한의원에서 치료를 받았다면 자연치료의 소요시간과 효과를 실감하지 못했을 것이다.

1주일이 경과되니 평소의 생활을 무리 없이 이어갈 수 있을 것 같다. 모임에 가서 스크린 골프도 치고, 국선도 수련도 다녔다. 허리에 복대는 여전히 채워져 있지만 이전의 몸 상태로 많이 돌아왔다는 느낌이 든다.

빌 브라이슨이 쓴 <바디>에 의하면 심근경색을 일으키는 절반 이상의 사람들이 건강에 이상징후가 전혀 없는 매우 건강한 이들이라고 한다. 흡연도 과음도 하지 않고, 심한 과체중도 아니며, 만성 고혈압을 앓지도 않고 심지어 콜레스테롤 수치도 나쁘지 않음에도, 심근경색이 일어 난다고 한다. 건강한 생활을 한다고 해서 심장문제를 피할 수 있다고 보장하지 못하고 다만 피할 기회를 높여 줄 뿐이라고 한다.(165p)

건강의 이상신호는 갑자기 찾아오고 그것이 왜 그랬는지 이해하기는 어렵다. 다만 추측을 할 뿐이다. 운동하다 통증을 갑자기 느끼고 또 점차 해소되는 과정을 거치면서 건강관리가 쉽지 않음을 실감하게 된다.

10일이 지나서 다시 국선도 수련장에 가니 거의 모든 동작을 따라 할 수 있는 몸 상태로 돌아왔다. 두좌법도 시도해 보았다. 짧은 시간 거꾸로 설 수도 있게 되었다. 국선도를 하면 산책이나 집에서 쉴 때보다 몸의 상태가 좀 더 나아지는 것을 느끼게 된다. 몸의 불편함을 해소해 주는 좋은 운동이다. 다만 수련 전에 스트레칭으로 몸을 충분히 풀어주고 무리한 동작을 하지 말아야 한다. 몸에 무리가 가지 않도록 하는 것이 중요한데 그 정도를 구분하는 것이 어렵다.

수련 6개월 - 익숙한 습관에서 벗어나기

2023년 수련 마지막 날이다.

7월 초에 시작해서 3개월 단위의 강좌를 두 번 마치게 되었다. 또 한 과정을 마무리하는 느낌이다. 이제 국선도에 대해 많이 익숙해졌음을 알 수 있다. 준비운동인 전조신법과 단전호흡인 단전행공 그리고 마지막 단계 몸푸는 동작인 후조신법까지 대략적인 순서가 머리 속에서 자리잡고 있다. 동작도 어렵지 않게 이어나갈 수 있게 되었다. 이제는 모든 동작에서 손과 발의 끝으로 기운이 퍼지도록 의식하고 있다. 몸을 돌리는 동작은 지난번 수련할 때 보다 1도라도 더 돌려 보려고 노력한다. 그래서 모든 몸 동작 하나하나에 정성을 다해 자세를 취하려고 하며, 간혹 자세가 바르지 못하여 사범님으로부터 교정 받은 동작에는 더욱 신경을 써 본다. 평소에 쓰지 않던 상체와 팔과 손의 근육에 힘이 들어가는 것을 느낄 수 있다.

동작이 익숙해지니 잡생각이 스멀스멀 올라오기도 한다. 단전호흡 초기 단계인 단전행공 중기단법 전편은 모두 25개의 동작으로 이루어져 있다. 이제 각 동작에 익숙해지고 다음 동작을 그림순서를 보지 않고 눈감고 따라 갈 수 있게 되었다. 그래서 단전호흡 동작 중에 이런저런 생각이 왔다 갔다 한다. 운전면허를 처음 받은 후인 초보시절에는 전방 주시에 온 신경을 집중해서 아무 생각을 못하는데 운전이 숙달되게 되면 라디오도 듣고 경치도 구경하고 생각에 잠기기도 하는 것과 같다.

인간의 뇌는 에너지를 가장 적게 쓰도록 진화하여왔다. 익숙한 행동이 반복되면 습관이 되어 뇌의 활동이 활발하지 않더라도 동작이 진행될 수 있게 된다. 이 부분에서 좀 더 발전이 되려면 다시 뇌를 가동해야 한다. 이전과 달라질 수 있는 것은 무엇일까? 고민하여 익숙함으로부터 결별하여야 한다.

익숙한 습관에서 다시 새롭게 마음을 잡는 방법 세가지

첫째, 초심으로 돌아간다. 항상 처음 시작한다는 마음으로 수련장에 들어간다. 도복을 정갈하게 입고 허리띠를 힘껏 맨다. 환경과 절차에 익숙하지 않아 주위의 모든 것에 초집중했던 그때로 돌아간다.

둘째, 이전 수련시보다 1센티 더 멀리 손과 발을 뻗고, 몸통은 1도라도 더 돌려 보려고 애쓴다. 그러나 무리하지 않는다. 성장을 위해서는 몸부림이 필요한 것이다. 한 동작 한 동작이 나에게 주는 의미를 생각해 본다. 어떤 자세와 태도로 수련하더라도 90분간의 수련시간은 흐른다. 수련의 결과가 내실이 있었는지 없었는지는 내가 느낄 수 있다.

셋째, 새롭게 배운 내용과 소감을 정리한다. 기록을 통해 실제로 성장하고 있음을 확인할 수 있다. 수련에는 여러 가지 단계가 있다. 한 단계에서 다음 단계로 올라가기 위해서 내가 배운 것을 정리할 필요가 있다. 나는 다음 단계로 갈 수 있는 몸과 마음이 되어있는가?

올해 새롭게 시작한 일들이 몇 가지 있는데 그 중에서 국선도 수련은 가장 잘한 결정이라는 생각이 든다. 등산, 캠핑, 목공예, 도예작업 그리고 국선도와 글 쓰고 책 만들기 중에서 국선도는 몸과 마음을 같이 수련하는 활동이다. 몸은 특정 부위가 아닌 전신과 오장육부를 살피면서 깊은 호흡으로 전신에 산소를 공급하면서 단련하고 마음은 깊은 사색의 세계로 빠져든다. 그 동안 여러 대가들의 책으로 간접적으로 대하던 명상의 세계를 직접 한 발, 두 발 걸어 들어가는 기분이다. 아직 시작에 불과한 초보자의 생각이 이럴진대 내년에 좀 더 수련의 깊이가 깊어지면 어떻게 변하게 될지 무척이나 궁금해 진다. 노트북 자판기를 두드리는 손가락에 힘이 들어가는 것을 느낀다.

3부

새로운 시작

허리 펴기부터 다시 시작

새해가 되고 세 번째 3개월의 수련이 다시 시작되었다. 두 번째 신입 수련자들이 새로 강좌에 등록하고 수련을 시작했다. 최근 국선도의 인기가 많이 좋아져서 그런지 이번에는 새로 등록하신 수련생이 5명이나 된다. 아마 새해 첫날부터 운동하면서 몸 관리 하고 싶은 마음이 반영된 것으로 보인다. 넓은 수련장이 수련하시는 분들로 꽉 차서 빈틈이 없다. 앞과 옆 사람과의 간격이 좁아지니 팔 다리를 쭉 펴는데 주의가 필요하다. 처음 자세를 따라 하시는 분들의 어정쩡한 모습을 보면서 나도 처음엔 저랬을 것이라는 생각이고, 지금은 꽤나 자세가 괜찮은 것 아닌가 하는 생각이 들었다. 아직 최초단계인 중기단법 전편을 하는 국선도 신입인 내가 어깨에 힘이 들어간다.

오늘은 수련이 시작되기 전 사범님이 내게 오시더니 앉아서 다리를 쭉 펴보라 하셨다. 그리고는 처음보다는 좋아졌지만 아직도 허리가 펴지지 않았다고 말씀하신다. 스마트폰을 달라고 하시고 앉아있는 자세를 촬영해 주었다.

그나마 사진을 찍는다고 해서 조금 편 상태이다. 허리를 안으로 넣고 엉덩이 뼈로 앉는다는 생각으로 앉으라 하신다. 가슴을 펴고 양 어깨를 회전시켜 어깨가 활짝 펴지도록 한다.

앉은 자세에서 등이 굽어있는 것은 오랜 기간을 책상에 앉아 일을 했기 때문에 앉으면 자연스럽게 등이 굽어있고 이 자세가 편하다. 의식적으로 허리를 펴서 안으로 밀고 앉으면 허리가 아파 오래 견디지 못한다. 이는 허리의 근육이 약해져 상체를 받쳐주지 못하기 때문이다. 앉아 있을 때마다 의식적으로 허리를 펴주는 것이 필요하다.

주위에서 수련하시는 분들의 앉은 자세를 살펴보니 모두 허리를 바로 펴고 앉아서 수련하신다. 6개월의 수련결과가 어디로 갔을까 하는 생각이 든다. 최근 단전호흡 시 명상에 집중한다고 대체로 눈을 감고 주위에 신경을 안 쓰고 수련했더니 나 혼자의 길로 가고 있었다. 슬금슬금 눈을 뜨고 주위를 살피고 사범님의 자세도 참조하고 해야 되는데 동작이 익숙해졌다는 생각에 그른 자세가 고쳐지지 않는 것이다.

수련이 끝나고 도서관에서 이 글을 쓰면서 계속 허리에 의식을 두고 자세를 바로 잡는다. 어깨를 펴고 허리를 넣고 엉덩이 뼈로 앉아서 글을 쓰다 보면 또 어느새 허리에 힘이 빠져 쳐지려 한다. 아직은 쉽지 않지만 조금씩 숙달이 되면 바로 앉는 날이 오게 될 것이다.

仙道之門

승단

국선도에 입문한지 6개월이 되었다. 그리고 1월 22일 승단되었다. 중기단법 전편에서 후편 행공으로 넘어간 것이다. 사범님이 승단증을 전해주시고, 도복 띠를 바꾸어 매주셨다. 그리고 행공은 중기단법 후편으로 하게 되었다. 전조신법(행공 전 몸풀기)과 후조신법(행공 후 몸풀기)은 전과 같은 동작이고, 행공의 자세만 바뀐다. 행공의 전편도 25개 동작이고 후편도 25개 동작인데 후편의 몸 움직임이 큰 것 같다.

중기단법의 수련기간은 100일로서 중기단법 전편 수련 기간이 50일이고, 후편이 50일이다. 내가 수련을 작년 7월에 시작하였으니 50일이 지나 이제 후편으로 승단된 것이다. 승단은 자격이나 심사는 없이 사범님이 판단하시고 신청하여 진행된다. 흰색 도복 띠가 흰색 바탕에 노란줄이 있는 것으로 바뀐다. 중기단법은 행공과정의 기초과정으로 국선도의 수련에 적응하는 기간이라고 보면 된다. 태어나서 100일을 기념하듯 100일간의 적응하는 기간이다.

행공 1단계에서 4단계까지 표로 보면 아래와 같다.

단 계	단법명	행공명	수련 기간	도복띠
1단계	중기단법	중기단법 전편	50일	백색
		중기단법 후편	50일	백색 황선
2단계	건곤단법	건곤단법 전편	50일	황색
		건곤단법 후편	50일	황색 적선
3단계	원기단법	원기단법 전편	200일	적색
		원기단법 중편	200일	적색 청선
		원기단편 후편	200일	청색
4단계	진기단법	진기대기단법	180일	회색
		세세축기단법	900일	흑색
		운기자계단법	900일	흑색 황선

국선도는 1단계 중기단법으로 시작해서 수련단계는 9단계까지 이루어진다. 7단계가 넘어가면 선인(仙人)의 道라고 한다. 3단계인 원기단법까지 마치려면 5년 이상의 수련이 필요하다. 지도하시는 사범님은 입문하신 지 10년이 넘어 4단계 진기단법 운기자계단법의 단계를 수련하고 계신다.

9단계 19 행공과정 중에서 제2 과정에 들어섰으니 이제 기초 중에 기초를 하고 있는 것이다. 중기단법 전편은 시작으로 단전의 자리를 잡는 기초라고 한다면 중기단법 후편은 수련의 기초를 더욱 튼튼하게 다지고 단전의 자리를 정착시키는 과정이라 한다.

승단 - 이미자 사범님

도복의 띠를 바꾸니 수련의 자세가 좀 더 진지해 진다. 수련 중 딴 생각을 안 하는 것은 아니지만 바로 수련의 자세로 돌아온다. 수련동작도 좀 더 힘차고 절도 있게 하려고 애쓰게 된다. 승단의 힘이다.

과거의 30년 혹은 40년 전쯤, 최초의 승급이나 승진을 생각해 보면 군복무시절 이등병에서 일병으로 진급하는 것 혹은

직장인 시절 사원에서 대리로 승진하는 것을 떠올리게 된다. 둘 다 거의 시간만 보내면 자동으로 승진되는 것이었지만 새로운 계급장을 달거나 직급이 달라진 명함을 받을 때의 뿌듯함은 이루 말할 수 없는 성취감을 느끼게 해주었다. 이제 오랜만에 바닥에서 한 단계를 올라보니 앞길이 아직도 창창하게 남아있지만 돌아온 길을 되돌아 볼 수 있는 여유도 생기는 것 같다.

허리에 안 좋은 운동

유튜브를 보고 있는데 내가 좋아하는 서울대 정선근교수의 자료가 올라왔다. 정선근교수는 디스크를 수술하지 않고 자세를 바로 하여 치료할 수 있다고 강조하고 바른 자세와 몸을 바로 펴는 '신전운동'을 강조하는 보기 드문 의사다. 베스트셀러 <백년허리>와 <백년운동>을 저술하여 '척추의 신'으로 불리는 사람이다.

유튜브의 제목은 상당히 자극적이었다. '알고 보니 허리디스크를 유발하고 있었던 운동법'으로 허리에 나쁜 운동만 안 해도 허리 아픈 사람 50%는 안 아프게 살 수 있다고 하면서 허리에 나쁜 운동의 사례를 보여주었다. 그런데 나쁜 운동 중에는 국선도에서 하는 동작들이 들어있었다. 누워서 무릎 끌어안기, 양 발을 벌리고 앉아서 윗몸 앞으로 굽히기(그림1), 앉아서 양 발바닥을 붙이고 허리를 앞으로 구부리는 자세(그림2)는 디스크를 찢는 나쁜 운동자세라는 것이었다.

디스크에 나쁜 운동자세 1

디스크에 나쁜 운동자세 2

얼마 전 국선도 수련하다 허리가 삐끗했던 기억이 되살아났다. 내가 허리가 아파 며칠을 고생한 이유가 허리를 심하게 구부리다 그렇게 되었다는 것을 알고 있었는데 바로 이런 동작들이 원인이었던 것으로 추정했는데 그것이 디스크에 나쁜 운동자세라는 것이었다. 'OMG'

유튜브를 보면서 잠시 고민에 빠지게 되었다. '저 내용대로 따라 하려면 국선도를 포기해야 될지도 모르겠는데.' 언제든지 저 동작으로 인해 또다시 허리에 문제가 생길 수 있다는 것이다. 곰곰이 생각해보며 내용을 다시 확인해 보았다.

정교수는 허리가 굽어지면 척추가 D자 형태로 휘면서 디스크가 찢어지고 심하면 수핵이 삐져 나와 허리에 통증을 주게 된다고 한다. 그래서 척추를 C자 형태로 만들어 주는 신전동작으로 요추전만의 상태를 늘 만들어 주어야 한다고 설명했다. 배를 앞으로 내밀고 상체를 뒤로 젖히는 신전운동도 역시 국선도의 동작에 들어 있는 자세였다.

수련 시 사범님은 내가 앉아있을 때 허리를 꾸부정하게 앉지 말고 바로 펴는 것을 여러 차례 주문했다. 그것은 앉아있을 때나 서있을 때나 허리가 C자로 휘어진 요추전만의 자세를 요구한 것이다. 내가 요추전만의 자세가 잘 안되니 편하게 허리(척추)를 꾸부정하게 한 것이다.

양 발을 벌리고 앉아 허리를 굽히는 자세에서도 허리를 꼿꼿하게 세우고 골반을 이용해서 앞으로 기울이는 자세를 하는 것이 바른 동작인 것이다. 양 발바닥을 붙이고 앞으로 기울이는 자세도 허리는 바로 세우고 하면 되는 것이었다.

정선근교수의 허리에 안 좋은 운동이라는 말은 허리가 구부러지게 되면 척추가 휘어진다는 말이고, 국선도에서 요구되는 동작도 바른 자세로 하면 되는 것이었다. 허리(척추)가 D자

형태가 되지 않도록 C자 형태를 유지하면서 바른 자세로 운동한다.

오늘 어젯밤의 유튜브 내용과 바른 자세에 대한 생각을 곰곰이 정리하고 국선도 수련을 시작했다. 모든 동작에서 허리가 굽어지는 것을 의식하여 바로 잡고 무리하지 않게 골반으로만 몸을 앞으로 굽히니 허리에 압박이 들어가지 않게 되었다. 다만 아직 익숙하지 못하여 앞으로 굽어지는 정도는 미흡하다. 그러나 이 또한 되풀이하면서 조금씩 발전할 수 있을 것이다. 이제 국선도를 수련하다 갑자기 허리가 문제가 되는 일은 없을 것 같다.

수련의 길은 아직 멀다.

허리가 굽어지지 않고 앞으로 상체를 숙이는 동작

관지단련(貫指鍛煉)

수련의 자세는 팔굽혀펴기와 같아 보인다. 그런데 좀 다르다. 우선 허리를 바르게 일자로 유지한다. 척추를 보호하기 위함이다. 첫 번째 받은 지적이다.

[틀린 자세]

[바른 자세]

그리고 바닥에 손을 짚을 때 손바닥 전체를 대는 것이 아니라 양손의 다섯 손가락 끝만 바닥에 대도록 한다. 처음에 시도하였을 때 손가락에 힘이 없어 바로 무너지고 말았다. 그래서 양 손바닥의 끝부분을 바닥에 대고 단련을 하였다. 그러다 보니 손바닥을 짚고 팔굽혀펴기하는 것이 습관이 되어 관지단련이 안 된다.

역시 사범님이 다가와 지적한다.

"손가락 끝만 사용해서 관지가 단련되도록 하세요. 손가락에 힘이 없으면 무릎을 꿇고 하셔도 됩니다."

무릎을 꿇어 상체의 체중을 줄이니 손가락으로 팔굽혀펴기가 간신히 된다. 손마디가 비튼 것처럼 쑤셔온다. 사범님은 두좌법을 할 때 오래 버티지 못하는 이유도 손가락 관지단련이 안돼서 그런 것이라고 덧붙인다. 손가락에 힘이 들어갈 수 있어야 모든 동작에서 바로 자세를 취할 수 있는 것이다.

집에서 훈련으로 손가락의 힘을 기를 수 있을까? 쉽지 않을 것이다. 꾸준함이 없다면 매일 같은 상태가 될 것이다. 특별히 시간이 많이 필요하지도 않고 장소에 구애를 받지 않는 운동인데 집에서 꾸준하게 하는 것이 쉽지 않다. 일단 귀찮고 까먹는 일이 많다.

손가락 끝을 단련하는 목적이 무엇일까? 우리 몸의 오장육부에 해당되는 경맥의 시작과 끝이 대부분 손끝과 발끝에 분포되어 있다고 한다. 그래서 체하면 손끝을 따서 치료하기도 한다. 손끝과 발끝에 자극을 주게 되면 내장의 경맥에 자극이 되어 오장육부의 기혈유통에 도움이 된다는 이야기다. 생각없이 운동하는 것보다 몸에 도움이 된다고 생각하면 아무래도 한 번이라도 더 할 수 있게 된다.

약을 복용 할 때 "식후 30분 후에 드세요." 라는 말은 하루에 3번 먹는 것을 잊어버리지 않게 하려는 의도가 있다고 한다. 단지훈련도 식후 30분으로 정해서 해보면 어떨까?

3분기 종료 (나에게 일어난 변화)

오늘로 3분기 수련이 끝났다. 훈련 시작 후 100일이 다가온다.

중기단법 후편은 전편보다 단전행공의 동작이 간단하고 앞뒤로 연결되는 자세라 25개의 행공동작을 외우기 쉽다. 그래서 행공동작을 연결하는 중에 동작 순서지를 힐끗 쳐다 보지 않고도 호흡에 집중할 수 있다. 눈을 감고 단전행공을 하면 좀 더 몰입되어 호흡에 더 집중할 수 있게 된다. 물론 호흡 중에도 중간중간 딴생각이 몰려오고 내쫓고 다시 몰려오고 한다. 요한 하리가 쓴 <도둑맞은 집중력>에 의하면 가끔 딴생각하는 것도 집중하는데 도움이 된다고 한다. 단전행공에 빠지면 국선도 수련장이 아니라 아득히 먼 곳 어디에 있는 듯한 기분이 든다. 주위의 환경이 사라지고 우주에 홀로 떠다니는 듯한 착각에 빠진다.

> 우리는 딴생각 중에 천천히 세상을 이해하고 있다. "딴생각을 하지 못하면 다른 수 많은 것들이 사라질 겁니다."라고 말했다. 그는 딴 생각을 많이 할수록 더욱 체계적인 목표를 세우고 더 창의적이며, 끈기 있는 장기적 결정을 더 잘 내린다는 사실을 발견했다. 정신이 표류하면서 천천히 무의식적으로 삶을 이해하도록 내버려둔다면 우리는 이러한 일들을 더 능숙하게 해낼 수 있다. <도둑맞은 집중력> 요한 하리 147p.

이제는 2시간의 수련이 끝난 뒤에 몸이 결리거나 하지 않고 수련 후에도 수련 전과 별다른 몸의 차이를 느끼지 못한다. 몸이 각각의 동작에 어느 정도 적응이 된 것 같다. 관지에 힘이 붙고 두좌법에서 거꾸로 서있는 시간도 조금씩 늘어나고 있다. 몸 전체적으로 근육이 좀 더 만들어진 느낌이 들고 자세도 바르게 안정된 느낌이다. 모든 동작에서 편안함이 느껴진다. 아마 익숙해짐에 따라 오는 편안함으로 보인다.

허리가 불편하고 굽혀지지 않는 것은 처음 국선도를 시작할 때와 같다. 가장 큰 난관이 허리 굽히기이다. 그래도 처음에는 손으로 발끝을 잡을 수 없었는데 지금은 손가락으로 엄지발가락을 잡을 수는 있다. 아주 조금씩 허리가 굽혀지고 있다는 것을 알 수 있다. 허리가 유연해지려면 꽤 오랜 시간이 필요할 것 같다. 허리 굽히기를 할 때 척추를 바로 세우고 무리하지 않는다. 오랜 시간에 걸쳐 현재의 허리 형태가 만들어졌기 때문에 바로 잡는 데에도 오랜 시간이 걸리는 것이 당연하다고 생각하면 된다.

3분기 수련 후 나에게 일어난 변화로 알 수 있는 국선도의 첫 번째 장점은 일상생활의 리듬감(루틴)이다.

은퇴 후 자유인이 되어 제약이 없는 시간의 자유 속에서 무계획적으로 시간을 보내기 쉽다. 그런데 일정한 시간대에 주기적으로 해야 할 과제가 있다는 것이 생활에 긴장감을 준다. 물론 절대적으로 고정된 스케줄이 아니고 개인적인 일정이 추가되면 쉴 수도 있다. 다른 약속이 없는 한 매주 월 수 금 오전은 국선도 수련의 시간이 된다. 주 3회의 수련도 리듬감이 생겨 다른 오랜 일정으로 두 번을 연속해서 빠지게 되면 다시 자리를 잡는 시간이 필요하다. 가능한 연속해서 수련하는 것이 몸과 마음을 위해 가장 효과적이다.

두 번째 장점은 집중력의 향상이다.

평소에는 거의 모든 활동 중에도 스마트폰을 수시로 자주 들여다보게 되는데 국선도 수련 시간 90분간은 전자기기가 몸에서 분리된다. 90분간을 한가지 목표에만 몰입할 수 있게 된다. 설봉공원 무형문화재전수교육관에서 나무판에 글자를 새기는 서각 작업이나 설봉서원에서 붓글씨 쓸 때도 몰입해서 집중하게 되지만 그 지속시간이 상대적으로 짧다. 국선도는 가장 오래 집중할 수 있는 활동이 된다.

세 번째의 좋은 점은 당연한 이야기지만 몸 건강의 유지다.

산행은 두 다리의 근력을 강화하는 데에 도움이 되지만 전신운동은 아니다. 국선도의 수련은 손가락 끝에서 발가락 끝까지 모든 관절을 두드리고 회전시킨다. 머리끝(백회혈)에서 발바닥(용천혈)까지 온몸의 혈자리를 누르고 자극을 준다. 몸에 맞도록 강도를 조절하기 때문에 무리함을 피할 수 있다. 수련 기간이 오래될수록 몸이 가뿐해지는 것을 느낀다. 그렇다고 체중이 줄어드는 것은 아니다. 수련 후에는 허기가 져서 식사도 맛있게 잘하게 된다.

국선도는 일상생활의 활력을 불어넣고 집중력을 향상하고 몸을 가뿐하게 만들어 주는 좋은 활동이다.

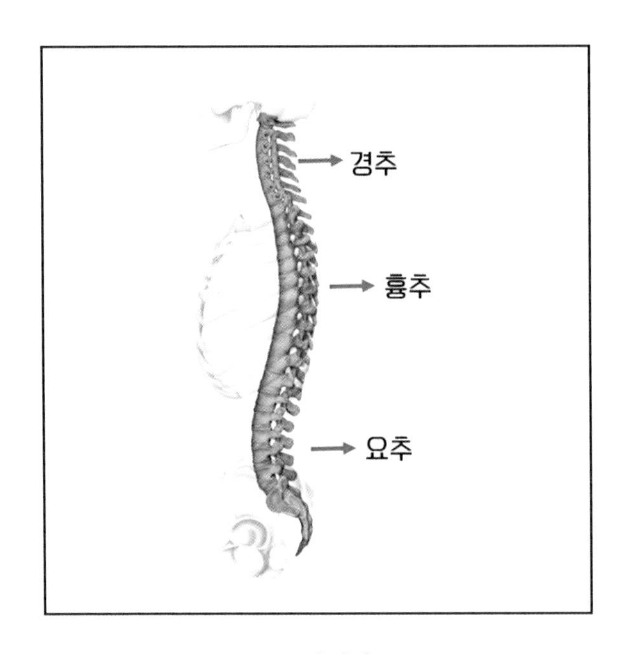

또 허리가

연휴에 집 안 정리를 하다 베란다의 화분들을 이리저리 옮기게 되었다. 몇 개를 무리하게 연달아 들었다 놓았다 하다 어느 순간 허리가 찌릿하고 허리뼈 부분에서 통증이 왔다. 전에 국선도 전조신법 몸풀기 동작에서 온 바로 그 요통이었다.

우리 몸의 척추는 33개의 척추뼈로 구성되어 목뼈인 경추가 7개이고, 등뼈 흉추가 12개, 허리뼈인 요추 5개 그리고 엉치뼈 5개, 꼬리뼈 4개로 구성되어 있다. 척추에는 척추관이라 하는 공간이 있으며, 그 안에 척수를 둘러싸고 보호한다.

이때부터 허리를 굽히는 것이 불가능해진다. 우선 급하게 복대를 차고 허리가 무너지는 듯한 느낌을 방어해 본다. 누워있는 것이 가장 안전한 자세이지만 계속 누워만 있을 수는 없다. 조금씩 앞뒤로 좌우로 허리를 움직여가면서 활동반경을 넓혀가본다. 상식 안에서 예측해 볼 수 있는 발생 원인은 요추에 무리하게 힘이 연속적으로 가해져서 척수가 요추 사이로 빠져나온 것이 아닌가 추정해 본다.

내 생각으로 병원에 가서 의사를 만나본들 별다른 해결책을 줄 것 같지는 않다. 허리에 무리가 가지 않도록 살살 움직이면서 가라앉는 것을 기다려야 한다. 지난번에도 허리를 온전하게 쓰는데 1주일 정도는 걸린 것 같다. 시간이 '약'이었다. 성난 허리의 척추를 달래주는 것은 시간뿐이다.

허리 아픈 3일 차에 국선도 시간이 되었다. 집에만 있는 것보다 살살 운동하는 것이 좋을 것 같아 복대를 차고 수련장으로 갔다. 조금씩 움직이니 조금 나아지는 것 같기도 하다. 천천히 허리를 움직이면서 몸을 풀고 운동 준비를 하였다. 국선도의 동작에서 허리와 관련된 동작이 삼분의 일 정도는 되는 것 같다. 허리와 관련된 동작에서는 무리하지 않고 대기하거나 자세를 조금만 취하면서 넘어갔다.

허리에 복대를 차고 수련을 하니 허리가 굽혀지지 않고, 근육이 튼튼해야 몸을 움직인다는 것을 이해하게 되었다. 허리에 무리를 주지 않고 몸을 앞뒤로 굽히기 위해서는 주위의 근육이 튼실해야 한다. 근육으로 버텨주어야 허리가 굽어지지 않을 수 있다. 바른 자세로 허리 굽히기를 해야 한다는 것을 다시 한 번 알게 된 것이다.

우리 몸, 신체 각 부분의 중요성은 그 부분이 제대로 작동을 못 하게 되는 경우에만 비로소 깨닫게 된다. 무엇 하나인들 중요하지 않은 것이 없다. 특히 허리는 제대로 활동하기 위해서는 반드시 제대로 설 수 있어야 한다. 허리가 제대로 서지 않으면 몸으로 하는 모든 동작을 연속할 수 없다. 사람의 생명 활동은 눕지 않으면 앉거나 서는 것이다.

국선도 수련장에서 주위 수련생을 보면 동작이 완벽하지 않고 약간 어정쩡하신 분들이 있다. 전에는 '왜 바른 자세로 하지 않으실까?' 하는 생각이 들었는데 이제 내 몸이 맘대로 움직이지 않는 형편이 되니 그 사정을 이해하게 되었다. 나는 똑바로 하고 싶은데 몸이 안 따라주는 것이다. 사람의 눈이 두 개인 이유가 있다고 한다. 한 눈으로는 나의 관점에서 바라보고 다른 한 눈으로는 상대편의 처지에서 바라보라는 의미라고 한다. 편향된 시각으로 사람과 사물을 대하지 말고 공정하고 공평하게 보고 느끼고 생각할 필요가 있다. 오정훈의 정시(正視)이다.

허리가 제대로 작동을 못 하니 시간이 매우 천천히 흘러간다. 모든 몸의 움직임은 슬로우모션으로 속도가 늦추어진다. 빠르게 지나가면 눈치채지 못할 것을 천천히 보니 달라 보이는 것도 있다. 그러고 보면 뭐 그리 급하게 움직일 필요가 있을까 하는 생각도 든다. 빨리 가야 5분, 서둘러야 10분 이내에 만난다. 천천히 느림을 즐겨보는 것도 좋다.

국선도 수련 중에 이 글을 써야겠다고 생각하고 집으로 와서 글을 쓰는 두 시간 동안 몇 번이나 앉아 있다 일어 섰다를 반복했다. 글을 쓰기 위해 계속 같은 자세로 앉아 있을 수가 없어서이다.

또다시 일주일을 기다려야 될 것 같다. 내일 스크린골프 모임과 모레 목공예 활동을 어떻게 처리해야 될지 난감하기만 하다.

갑자기 베트남 여행 중에 받은 시원한 마사지가 그리워진다.

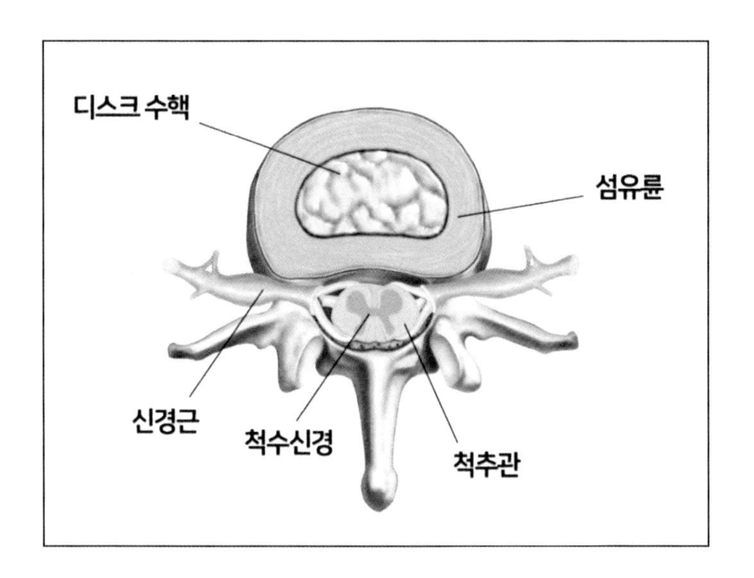

허리의 경고장

오전 11시까지 발산역에 도착해야 하는 부담으로 일찍 눈이 떠졌다. 보통 아침 7시쯤 일어나는데 5시에 일어난 것이다. 8시에 집에서 출발하여 전철을 3번 갈아타고 발산역에 도착하니 10시였다. 시간 여유가 있어 산책을 30분 정도했다. 지인들과 즐겁게 스크린골프를 4시간 정도 치고 이후 이른 저녁식사에 치맥까지 곁들이니 저녁 8시가 훌쩍 넘었다. 집에 돌아오니 12시. 광역버스에서 내려 구보건소에서 집으로 걸어오는 길에 허리가 유난히 결린다는 느낌을 받았다.

다음날 아침 허리가 결리지만 커피를 내리고 앉아있는데 척추에서 통증이 시작되었다. 병원에 가봐야겠다고 생각하고 머리를 감고 돌아서는 순간 한 발자국도 움직일 수가 없었다.

엄청난 통증이 허리를 강타했다. 아픔의 강도는 1~10의 범위에서 8정도 되는 것 같았다. 등산용 스틱 두 개를 의지하려 했지만 꼼짝할 수가 없는 상태가 되었다. 포기하고 침대로 가서 누웠다. 누워있는 동안 별별 생각이 다 든다. 말년에 침대에 누워서 10년 20년 지내다 간다는 이야기가 실감나게 느껴지는 순간이었다. 허리가 무너지니 팔다리는 멀쩡해도 아무 소용이 없었다.

잠시 누워서 휴식을 취하다 스마트폰으로 이전에 책으로 만난 서울대 정선근교수를 유투브로 다시 찾았다. 마침 허리에 통증이 극심할 때 불을 끄는 소화기 역할을 하는 자세에 대한 설명이 얻어 걸렸다. 침대에 엎드린 자세로 두 주먹을 포개서 턱밑에 대고 심호흡을 하는 것이었다. 이 자세는 자연스럽게 척추전만이 이루어져 찢어진 디스크 섬유륜을 봉합하는 효과가 있다고 했다. 한동안 이 자세로 있다가 슬쩍 잠이 들었다가 깼다. 살살 움직여 보니 조금 움직일 것 같았다. 한 발짝도 못 디뎠는데 아주 천천히 움직일 수 있게 되었다. 놀라운 변화였다. 그러나 오래 서있거나 걷지 못하고 바로 쉬어야 했다. 이후에는 정선근교수가 강조하는 척추위생(척추전만 상태유지)을 따라 하면서 하지마라는 동작과 하라는 동작에 대한 유트브를 장시간 학습했다. 하지마라는 동작은 대부분 허리를 앞으로 구부리는 동작이어서 국선도 수련이 염려되었다. 허리가 아픈 경우에 하지마라는 권유이므로 지금이 바로 그 때이다.

하루를 온전히 집에서 쉬고 나니 상태가 조금 호전되는 것 같았다. 오후에는 설봉공원으로 외출해서 바람도 쏘이고 무형

문화재전수교육관 서광수 도예장인의 교실에 들려 그 동안 만들어 놓은 우리술도 한 병 드렸다. 몇 시간을 돌아다니니 급 피곤이 몰려와 집으로 돌아왔다. 척추와 디스크에 관해 상당히 많은 의사들의 유투브 강의를 올려 놓았는데 대부분이 척추의 전만상태 유지를 강조하고 있다. 허리를 앞으로 구부리는 동작을 가능한 삼가고 바로 편 상태로 생활하라는 내용이다. 허리가 아파 구부리지 못하니 실제로 모든 동작을 상체를 뒤로 젖히고 해야만 되었다.

3일차가 되니 이제 한 시간 정도 산책도 다녀올 수 있게 되었다. 마음 같아서는 국선도 도장에서 간단한 동작만 하고 싶었지만 아직 무리인 것 같아 수련은 다음주로 미루었다.

새삼 허리의 중요성을 느끼는 사건이 되었다. 허리가 이상 징후가 보일 때에는 절대 무리하지 말고 안정이 필요하다. 이제 팔팔 뛰는 청년이 아니고 중년에서 노년의 길로 들어서고 있으니 몸을 아껴서 써야 한다. 신체는 이미 노화의 길로 들어갔다. 대체할 것은 없고 다만 노화를 최대한 늦추면서 조심조심 다루어야 한다.

병원을 다녀도 큰 소용은 없을 것이다. 고통을 완화하는 효과는 있겠지만 원인을 해결해 줄 수 없다. 스스로 의사가 되어 문제를 예방하고 처방도 해야 한다. 최근 우리술을 만들면서 체중이 슬슬 오르기 시작했다. 체중이 증가한 것도 허리에는 부담이 되었을 것으로 보인다. 다시 초심으로 돌아가서 식

습관부터 바꾸어야겠다. 채식을 시작해야 한다.

TV의 건강프로그램을 보니 허리가 아픈 사람은 머리를 감을 때도 머리를 숙여서 감지 말고, 서서 샤워할 때 목을 뒤로 해서 감으라고 나온다. 세면대에 고개를 숙여서 머리를 감거나 바닥에 쪼그리고 앉아 걸레를 빠는 일도 허리에 무리를 준다고 한다. 젊을 때는 괜찮았는데 나이가 들어갈수록 무리가 되는 것이다. 마음만 청춘!

정선근교수에 의하면 허리의 통증은 작게 오다가 반복되어 조금씩 커져서 극심한 통증이 찾아오는 것이 일반적이라고 한다. 척추의 디스크는 더 이상 재생되지 않고 계속 닳아 없어지기 때문에 조금 아플 때 관리하지 않으면 큰 화를 입게 된다는 이야기다. 이번 허리의 통증은 허리를 잘 관리하지 않으면 더 크게 당할 것이라는 경고장이다.

다시 국선도장에 서다

가벼운 질병에 걸리거나 부상을 당한 경우에 병원에 가서 진료를 받고 치료하고 약을 먹으면 그리 오래지 않아 점차로 회복되는 것 같이 느껴진다.

병원에 가서 아픈 몸이 점차 회복되는 경우는 두 가지이다.

하나는 우리 몸의 자연치유력이다. 몸은 비정상적인 상황이 되었을 때 비상을 선포하고 정상화시키려는 노력을 시작한다. 따라서 병원의 진료와 처치와 상관없이 시간이 경과됨에 따라 몸은 원래의 상태로 복귀된다. 감기에 걸렸을 때 병원 가서 약 받아 먹으면 일주일 만에 낫고, 집에서 버티면 7일 걸린다는 이야기가 바로 그것이다. 가만히 있어도 몸이 치유되고 있는데 병원에 가서 나은 것처럼 느껴지게 된다. 몸의 회복속도가 빠른 경우엔 그 병원은 병 잘 고치는 명의가 있는 곳으로 입 소문을 탄다. 소문을 듣고 찾아간 병원에서 별 차도가 보이지 않으면 사람에 따라 다르다고 이야기하기도 한다.

손가락을 칼로 베였을 때 조치는 반창고를 붙여 출혈을 막고 가능한 움직이지 않고 새살이 돋아나와 서로 붙기를 기다리는 것이다. 아프지 않게 진통제나 소염제를 처방 받아 먹을 수도 있지만 결국 회복이란 새살이 자라 흉터를 메워야만 되는 것이다. 소독과 진통제, 소염제는 병원의 역할이고 새살이 자라는 것은 자연치유의 역할이다. 시간이 필요한 것이다.

디스크를 둘러싼 섬유륜이 여러 가지 이유에 의해 손상을 받아 통증이 시작된 경우에도 상처가 아물기 위해서는 손상된 조직을 가능한 움직이지 말고 회복되는 시간을 가져야 한다. 병원에서는 통증을 줄여 줄 수 있지만 빨리 아물게 할 수는 없다.

병원 가서 아픈 몸이 회복되는 두 번째 경우는 플라시보 효과다. 병원에 가서 치료를 받으니 이제 나을 것이라는 믿음이 더 크게 생긴다. 밀가루로 만든 약을 처방 받아 먹어도 나을 것이라는 믿음이 깊다면 약효가 난다. 플라시보 효과는 놀랍게도 그 약이 위약(가짜약)이라는 것을 알고 있어도 발생한다고 한다. 약값이 비쌀수록 플라시보 효과는 증가한다고 한다.

길게 설명한 이유는 치료는 결국 시간의 문제이기 때문이다. 주위에서 병원 가는 것을 권유해도 버티고 조금씩 좋아지겠지 하고 시간을 보냈다. 허리 문제도 문제가 발생된 첫 번째 주에는 양말도 못 신을 만큼 허리가 불편했지만 역시 시간이 점차 지나면서 조금씩 허리를 사용할 수 있게 되었다.

허리가 아파 일주일 국선도를 쉬고 다시 국선도장에 갔을 때에는 모든 동작의 절반도 따라 하지 못했다. 거의 반은 도장에 누워서 호흡만 하다가 왔다. 두 번째 주에는 그나마 조금씩 동작을 따라 하는 시늉을 낼 수 있었다. 이제 한 달이 지나고 한 두 동작만을 제외하고는 대부분 소화되었다. 길지 않지만 두좌법도 시도했다.

집에 누워서 있는 것보다 국선도장에 나와 움직이는 시늉을 하는 것이 허리 치료에 더욱 도움이 되는 것 같다. 전신을 고루고루 풀어주는 운동이니 허리 이외에 정상적인 몸동작을 시도해보는 것이 결국 허리에도 도움이 되었다. 허리 굽히는 정도는 이제 처음 국선도를 시작하는 사람처럼 조심스럽다. 그러나 운동하면서 허리를 잘 관리하는 방법도 알게 되고 집에 누워서 쉬는 것보다 활동하니 좀더 적극적으로 생활할 수 있을 것 같다.

단 절대 허리에 무리한 동작은 하지 않는다.

글쓰기를 마무리하면서

덕당국선도 중기단법의 수련이 마무리 단계이다. 2023년 7월 첫 주부터 국선도를 시작해서 1년의 세월이 흘렀다. 국선도 수련을 시작하면서 국선도 에세이를 같이 썼다. 시간이 흐르면서 어떻게 어떠한 내용이 들어가게 될지 상상도 못하고 시작했다. 그래도 예상 밖의 성과를 많이 얻었다고 생각된다.

가장 큰 성과는 이 책이 발행을 앞두게 된 것이다. 중간에 포기하지 않고 하루 이틀 수련하면서 써온 글이 이제 한 권의 책으로도 엮일 수 있도록 쌓였다. 수련 과정에서 국선도를 계속 못 할 수도 있다는 불안감도 있었지만 결국 한 고개는 넘어선 것이다.

단전호흡 후 몸풀기 시간인 후조신법의 동작 중에 바로 누워서 두 다리를 공중으로 올리고 두 손으로 양 발목을 잡는 자세가 있다. 뒤통수와 목은 바닥에 닿지 않고 치켜세운다. 이 자세를 하면 시선은 자연스럽게 나의 두 발과 발가락을 쳐다보게 된다. '내가 언제 나의 두 발을 이렇게 다정스럽게 바라볼 기회가 있을까?' 몸의 구석구석 모든 곳이 소중하다는 생각을 하게 된다. 머리 꼭대기에서부터 발끝까지 모두.

그런데 국선도의 단계를 살펴보면 중기단법은 국선도를 입문해서 시작하는 기초단계에 불과하다. 제대로 하는 단전호흡은 이후의 단계인 진기단법에서부터 시작한다고 한다. 한라산 1,947미터를 오르기 시작하면서 이제 200미터 정도나 올라왔을까? 등산하면서 정상을 생각하지 않는다. 그냥 앞에 놓여 있는 한 계단 오른다는 생각만 갖는다. 한 계단 두 계단을 오르다 보면 어느새 새로운 이정표가 보이고 이정표들을 지나면 결국 정상이 보이게 된다. 처음부터 정상까지의 과정을 머릿속에 담으면 포기하게 된다.

나의 선도입문 이야기는 여기까지 이다.

국선도 1년을 마무리하면서 이제 글쓰기를 마무리 하려고 한다.

이 책은 국선도 시작 후 1년 동안에 일어난 일들을 쉽게 전달하기 위해 일기형식으로 쓴 글이다. 국선도를 사이비 종교로 오해하시는 분이나 처음 시작했는데 적응이 어려운 분들을 위한 안내서이다. 나의 경험이 조금이나마 도움이 된다면 그것으로 목표 달성이다.

국선도는 중년들에게 권하고 싶은 운동이다. 도구도 필요 없고 시간과 장소의 제약도 없는 운동이다 자기 몸에 무리가 되지 않게 운동하면서 건강한 노년을 맞이하기 바란다.

다음 주와 다음 달에 어떤 일이 있을지 모른다. 그냥 오늘 하루를 이번 주를 계획하고 산다.

선도의 길은 계속 이어질 될 것이다.

참고문헌

<건강이 보인다 국선도 단전호흡> 의황선사 박월남

미국선도 수련자들을 위하여 정각도 단계에서 선도법 단계까지 개략적인 미국선도의 흐름을 설명하였으며 특히 진기단법 이상의 수련자들에게는 선도 참고서가 될 수 있도록 구성하였다. 각 편별로 구성된 조신법, 정각도법, 통기법, 선도법의 행공자세와 경혈위치도, 천부경 등의 삽화를 첨부하여 부록으로 실었다.

미국선도 수련자들을 위하여 정각도 단계에서 선도법 단계까지 개략적인 미국선도의 흐름을 설명하였으며 특히 진기단법 이상의 수련자들에게는 선도 참고서가 될 수 있도록 구성하였다. 각 편별로 구성된 조신법, 정각도법, 통기법, 선도법의 행공자세와 경혈위치도, 천부경 등의 삽화를 첨부하여 부록으로 실었다. (예스24)

<나는 국선도를 한다> 고정환

이 책에서는 국선도의 6가지 수련 체계인 조신(스트레칭), 조심(마음 조절법), 조식(호흡하는 법), 조식(식사하는 법), 조리(이치를 깨닫는 법), 조정(정을 양생하는 법)을 중심으로 누구나 일상생활에서 활용할 수 있도록 구성하였다.

가자 경락 마사지와 스트레칭 등을 단계별로 소개하였고, 마음 조절법, 식이요법 등을 현대적 의미로 해석하여 장수와 건강에 도움이 되도록 하였다. 또한 행공 수련 동작을 총 36가지 동작으로 체계화하였고, 명상에 도움이 되도록 동작을 간소화했다. 축기법, 소주천 및 대주천 수련법 등은 빠른 수련 효과를 볼 수 있는 노하우를 살려 정리하였고 오장육부의 독소를 제거하고 기능을 강화하는 데 도움이 되는 방법을 제시하였다. 또한 임산부와 수험생을 위한 수련법, 야외와 직장에서 활용할 수 있는 수련법 등을 일러두었고, 음식으로 건강을 회복하고 치료할 수 있는 방법을 소개하였다. (예스24)

<덕당 국선도 단전호흡법 조신법 편> 덕당 김성환

국선도 수련과 지도 40여년, 외길 인생을 걸어 온 저자가 자신의 수련과 지도 경험을 바탕으로 국선도 수련의 이론과 실제를 종합하는 국선도 수련의 총서이다. 그 두 번째인 조신법 편은 몸을 어떻게 움직여야만 건강해질 수 있는가 하는 신체 조절법에 대하여 말하고 있다.

조신법 수련은 일반적 운동과는 다르다. 조신법은 한 동작의 움직임이 신체의 오장육부와의 조직기능에 직·간접적으로 영향을 미치는 원리로 구성되어 있다. 머리끝에서 발끝까지 자극을 주지 않는 곳이 없으며 근육, 인대, 관절, 골격에 골고루 자극을 주어 몸의 중심을 바로잡아 주고 혈액순환을 촉진시키고 신진대사를 원활하게 한다. 운동을 많이 한다고 건강하고 운동을 잘 한다고 생명연장이 되는 것은 아니다. 지나친 운동은 건강을 잃게 하고 계획성이 없는 운동은 오히려 건강에 부담을 줄 뿐이다. (예스24)

<덕당 국선도 단전호흡법 이론과 실제(초급편)> 덕당 김성환

국선도 수련과 지도 40여년, 외길 인생을 걸어 온 저자가 자신의 수련과 지도 경험을 바탕으로 국선도 수련의 이론과 실제를 종합하는 국선도 수련의 총서이다.

그 첫 번째인 이론과 실제(초급편)은 국선도 단전호흡법의 초급과정인 중기단법과 건곤단법을 중심으로 국선도에 대한 전반적인 이론적 배경과 실제 수련법에 대해서 자세히 설명하고 있다. (예스24)

<내 손으로 하는 경혈지압, 마사지 324> 산차이원화

경락은 신체의 기를 순환시키는 통로이고, 경혈은 경락 중에서도 기가 모이는 자리를 말한다.

경혈과 경락은 인체 오장육부와 연결돼 있기 때문에 경락과 경혈을 자극함으로써 정체되어 있는 기혈을 순환시켜 오장육부의 균형을 맞추는 것이 지압 · 마사지의 원리다.

이 책의 장점은 특별한 기구 없이 내 손으로 온몸을 지압·마사지할 수 있다는 것이다. 이 책 하나만으로 우리 몸에 있는 모든 혈자리를 파악할 수 있고, 치료 효과를 명확히 알 수 있다. 오늘날에는 일반인의 건강에 대한 관심이 늘고, 몸을 치유하는 방법이 다양해지면서 누구든 부작용 없이 손쉽게 활용할 수 있는 치료법을 찾는다. 이런 면에서 손으로 경혈을 자극해주는 지압·마사지는 그 효과가 탁월하다 하겠다.

경혈 지압·마사지는 무엇보다 손쉽게 할 수 있다는 것이 장점이다. 언제 어디서나 몸에 있는 혈자리를 눌러주기만 해도 특정 질병이나 증상을 완화시킬 수 있다. 또한 한 가지 질병을 치료하는 데 그치지 않고 몸 전체의 기능을 조절하고 신체를 강건하게 한다. 그리고 경혈 지압은 부작용이 없는 안전한 치료법이다. 질환의 반응을 살피면서 지압하는 것이 치료의 전부이기 때문에 부작용이 있을 수 없다. (예스24)

<포인트 혈자리 스트레칭> 박용환

'강남허준', '통증 명의' 박용환 원장이 통증 해소 효과가 뛰어난 포인트 혈자리 스트레칭을 소개한다.

귀 뒤를 누르고 고개를 숙였다 드는 간단한 동작으로 두통을 즉각 없애는 짧은 틱톡 영상을 60만 명이 시청하며, 직접 개발한 통증 해소법과 그의 이름을 널리 알리기 시작했다. 두통뿐 아니라 전신의 통증을 해결하는 틱톡 영상은 매번 10~50만 명이 지켜볼 만큼 크나큰 관심을 불러일으키고 있으며, 유튜브 채널 '강남허준 박용환tv'도 폭발적인 인기를 얻는 중이다. 통증을 다스리는 포인트 혈자리를 누른 채 움직이는 간단한 스트레칭은 그동안 유튜브 채널에서 1700만 명이 조회했을 만큼 놀라운 통증 비책으로 화제가 되어왔다.

머리가 깨질 듯한 두통, 무겁고 뻐근한 목과 어깨, 쿡쿡 쑤시는 등, 지긋지긋한 요통, 저릿한 손목과 손가락, 시큰거리는 무릎, 삐걱거리는 발목에 일상이 불편하고 힘들다면 포인트 혈자리 스트레칭을 만나보자. 놀랍게도 1분만 따라 하면 통증이 해소된다. 몇 번 따라 했을 뿐인데 아팠던 부위의 통증이 바로 사라졌다는 리뷰가 속출할 정도로 이미 효과가 입증되었다. 그 외에도 포인트 혈자리 스트레칭은 굳은 근육과 관절이 이완되고, 염증이 줄며 혈액순환이 촉진되어 움직임이 편해지는 효과를 낸다. 또한 몸의 회복 능력을 높이고, 근골격계와 내부 장기의 힘을 강화해 앞으로 일어날 부상도 예방하는 최고의 통증 관리법이다. (예스24)

<1분만 누르면 통증이 낫는 기적의 지압법>

후쿠쓰지 도시키

단 1분이면 끝난다!
시간도 돈도 체력도 없는 나를 위한
'초간단 혈자리 지압법'

현대인이라면 누구나 온갖 통증과 병을 가지고 있다. 어깨와 목이 뭉치면서 두통이 생기는 것은 물론이고 만성 통증과 피로, 불면, 스트레스에 매일 시달린다. 하지만 이런 증상이 있음에도 불구하고 운동으로 자신의 몸을 관리할 시간도, 돈도, 체력도 없는 사람이 많다. 이런 사람들에게 언제 어디서나 할 수 있는 '초간단 혈자리 지압법'을 추천한다. 비싼 돈과 긴 시간을 쏟아부어 힘들게 할 필요도 없다. 그저 꾹 누르기만 하면 끝이다. 앉아서, 서서, 출퇴근 중에, 가사일 중에 틈날 때마다 누르면 된다. 혈자리를 눌렀을 때, 통증이나 찌릿한 느낌이 든다면 그 혈자리와 연결된 내장, 신경, 근육 등이 약해져 있다는 신호이다. 각 증상과 연결된 혈자리를 찾아 누르는 것만으로도 통증이 완화된다.

침술 의학 명의가 소개하는 혈자리의 모든 것

이 책에서는 '일본 명의 50인'에 선정된 저자의 30년 진료 경험을 바탕으로 혈자리의 모든 것을 소개한다. 그림을 활용하여 혈자리의 위치, 누르는 법, 활용법까지 쉽게 알 수 있다. 책을 따라 혈자리를 찾고 6~8회만 누르면 끝이다. 두통, 치통, 코피 등의 갑작스러운 응급 상황과 고혈압, 저혈압, 요통, 알레르기 등의 만성 질환에 좋은 혈자리는 물론 다양한 증상과 목적에도 효과를 볼 수 있다. 스트레스, 우울감, 불면증 등의 정신 건강과 생리통, 갱년기 등의 여성 질환, 피부 탄력과 각선미 등 미용, 다이어트에 효과적인 혈자리 117가지를 모두 소개한다. 또한 책에서 소개하는 모든 목적과 상황별 혈자리를 한눈에 보기 쉽게 정리한 '전신 혈자리 MAP'이 본문에 수록되어 있어서 언제 어디서든 쉽고 빠르게 활용할 수 있다. (예스24)

<백년허리> 정선근

98%의 요통 환자는 수술 없이 완치될 수 있다!
단 3주 만 따라하면 지긋지긋한 요통의 지옥에서 빠져나올 수 있다!

허리는 직립 보행을 하는 우리 인간 몸의 기둥이다. 놀라운 자연의 발명품인 허리는 원래 100년 이상 쓰도록 만들어져 있다. 그러나 우리가 무의식적으로 하는 나쁜 자세, 나쁜 운동이 100년 이상 쓸 허리를 매일매일 망가뜨리고 있다. 100년은 쓸 돈이 예금된 통장을 불과 40~50년 만에 탕진해 버리는 꼴이다. 하지만 허리에 좋은 자세, 좋은 운동을 알고 매일 한다면 요통에 빠지지 않고 허리를 100년 동안 건강하게 쓸 수 있다. 대한민국 제일의 요통 전문가 정선근 서울대 의대 재활의학과 주임교수는 (주)사이언스북스에서 펴낸 『백년 허리: 허리 보증 기간을 100년으로 늘리는 방법』을 통해 요통과 허리 디스크의 비밀. 요통으로부터 해방되는 '백년 허리 프로젝트'를 제안한다.

이 책에 소개되어 있는 맥켄지 신전 운동(앉아서 하는 맥켄지 신전 운동, 서서 하는 맥켄지 신전 운동, 엎드려 하는 맥켄지 신전 운동), 자연 복대 만들기 훈련, 엉덩이 관절 경첩 훈련, 세 가지 맥길의 빅 3 운동, 엉덩이 들어 버티기, 엉덩이 뒤로 쭉 빼는 스쿼트, 허리 살림 걷기 같은 운동들은 정선근 교수가 허리가 아픈 사람들, 특히 운동 능력이 퇴화되기 시작한 40대 이후의 환자들을 대상으로 기존의 운동을 개량한 것들이다. 상세한 운동 방법, 동작 자세, 주의 사항 등을 그래픽과 사진으로 세밀하게 소개하고 있다. 이 운동들은 요통과 디스크를 예방하고 치료하는 효과가 있을 뿐만 아니라 스마트폰 중독자들의 거북목 증후군을 막고 목 디스크를 예방하는 부수적인 효과를 가지고 있다. 허리는 우리 몸의 기둥이요, 건강한 인생의 핵심이다. (예스24)

<우리 침뜸 이야기> 정진명

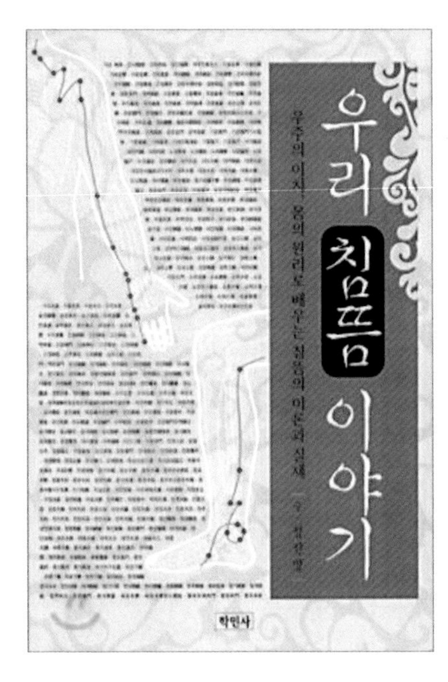

침의 대중화에 초점을 맞추어 쓴 침뜸 안내서이다.

책에서는 주로 침의 역사와 침 놓는 방법, 응급처치법 에 대해 다룬다. 침의 종주국이 고려이고 우리나라 침술은 옛날부터 중국을 능가할 만한 실력이었다는 사실을 밝히고 우리와 친숙한 대중적인 의술임을 알려준다.

동양의학의 토대를 이루는 음양오행설을 쉬운 예를 통해, 처음 읽는 사람도 이해할 수 있도록 설명했다. 그리고 뒷부분에서는 경락도와 함께 일상생활에서 겪을 수 있는 응급상황의 대처방법과 중요한 처방을 소개하여 실용적이다. (예스24)

<<네 안에 잠든 거인을 깨워라> 앤서니 라빈스

개인의 변화와 성공 사례를 보여주면서 즉각적으로 변화와 성공으로 이르는 길을 안내하는, 앤서니 라빈스의 대표작.

전 세계 천만 권 이상 팔린 초베스트셀러이자, 국내에서도 처음 소개된 이래 지금까지 계속 독자들의 손길이 끊이지 않는 스테디셀러이자 베스트셀러인 이 책의 인기 비결은, 읽는 이의 마음을 뜨겁게 움직이는 열정과 인간 심리와 행동의 연결 구조를 정확히 밝혀 실제적인 변화를 이끌어낸다는 데 있다. (예스24)